Charlotte Habersack
Angela Pude
Franz Specht

MENSCHEN

Deutsch als Fremdsprache
Kursbuch

Hueber Verlag

Für die hilfreichen Hinweise bei der Entwicklung des Lehrwerks danken wir:
Ebal Bolacio, Goethe-Institut/UERJ, Brasilien
Esther Haertl, Nürnberg, Deutschland
Miguel A. Sánchez, EOI León, Spanien
Claudia Tausche, Ludwigsburg, Deutschland
Katrin Ziegler, Università degli studi di Macerata, Italien

Fachliche Beratung:
Prof. Dr. Christian Fandrych, Herder-Institut, Universität Leipzig

Fotoproduktion: Iciar Caso, Wessling
Fotos: Florian Bachmeier, Schliersee

Zusätzliche interaktive Lernangebote (www.hueber.de/menschen):
Valeska Hagner, München

3. 2. 1. | Die letzten Ziffern
2024 23 22 21 20 | bezeichnen Zahl und Jahr des Druckes.
Alle Drucke dieser Auflage können, da unverändert,
nebeneinander benutzt werden.
1. Auflage

Umschlaggestaltung: Sieveking · Agentur für Kommunikation, München
Filme: watch and tell - filmproduktion gmbh
Layout und Satz: Sieveking · Agentur für Kommunikation, München
Verlagsredaktion: Marion Kerner, Gisela Wahl, Nikolin Weindel, Hueber Verlag, Ismaning
Druck und Bindung: Westermann Druck GmbH, Braunschweig
Printed in Germany
ISBN 978-3-19-361902-0

Art. 530_26055_001_01

INHALT

Piktogramme und Symbole

Hörtext auf CD ▶1 02

Aufgabe im Arbeitsbuch AB

Zusätzliches interaktives Lernangebot 

Grammatik

GRAMMATIK
Vorschläge und Ratschläge

ich	könnte	sollte
er/sie	könnte	sollte
wir	könnten	sollten

Kommunikation

KOMMUNIKATION
Welche Sportart sollte ich machen / würdest du mir empfehlen / passt zu mir?
…

Hinweis

1 Kilogramm (kg) = 1000 Gramm (g)
1 Pfund = 500 Gramm
1 Liter (l)
INFO

INHALT

Liebe Leserinnen, liebe Leser,

Menschen ist ein Lehrwerk für Anfänger. Es führt Lernende ohne Vorkenntnisse in jeweils zwei Bänden zu den Sprachniveaus A1, A2 und B1 des Gemeinsamen Europäischen Referenzrahmens und bereitet auf die gängigen Prüfungen der jeweiligen Sprachniveaus vor.

Menschen geht bei seiner Themenauswahl von den Vorgaben des Gemeinsamen Europäischen Referenzrahmens aus und greift zusätzlich Inhalte aus dem aktuellen Leben in Deutschland, Österreich und der Schweiz auf. Das Kursbuch beinhaltet 12 kurze Lektionen, die in vier Modulen mit je drei Lektionen zusammengefasst sind.

Das Kursbuch

Die 12 Lektionen des Kursbuchs umfassen je vier Seiten und folgen einem transparenten, wiederkehrenden Aufbau:

Mein Opa war auch schon Bäcker.

Einstiegsseite

Der Einstieg in jede Lektion erfolgt durch ein interessantes Foto, das mit einem „Hörbild“ kombiniert wird und den Einstiegsimpuls darstellt. Dazu gibt es erste Aufgaben, die in die Thematik der Lektion einführen. Die Einstiegssituation wird auf der Doppelseite wieder aufgegriffen und vertieft. Außerdem finden Sie hier einen Kasten mit den Lernzielen der Lektion.

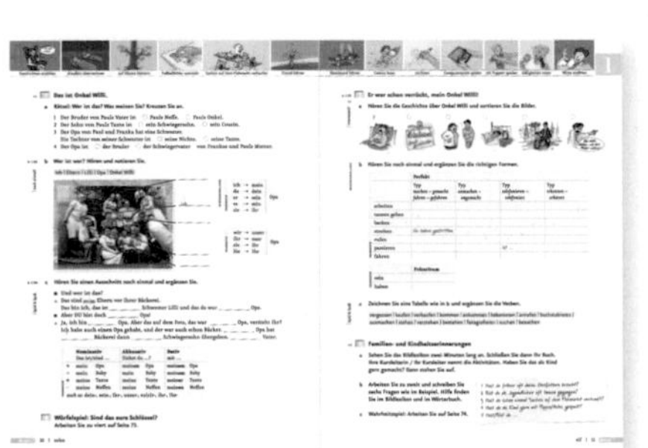

Doppelseite

Ausgehend von den Einstiegen werden auf einer Doppelseite neue Strukturen und Redemittel eingeführt und geübt. Das neue Wortfeld der Lektion wird in der Kopfzeile prominent und gut memorierbar als „Bildlexikon“ präsentiert. Übersichtliche Grammatik-, Info- und Redemittelkästen machen den neuen Stoff bewusst. In den folgenden Aufgaben werden die Strukturen zunächst meist in gelenkter, dann in freierer Form geübt. In die Doppelseite sind zudem Übungen eingebettet, die sich im Anhang auf den „Aktionsseiten“ befinden. Diese Aufgaben ermöglichen echte Kommunikation im Kursraum und bieten authentische Sprech- und Schreibanlässe.

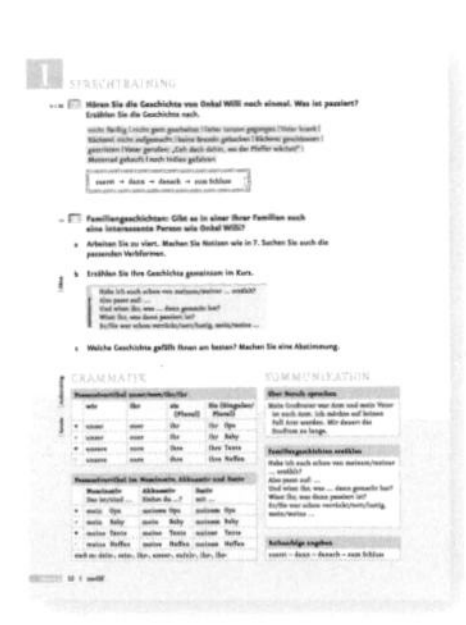

Abschlussseite

Auf der vierten Seite jeder Lektion ist eine Aufgabe zum Sprechtraining, Schreibtraining oder zu einem Mini-Projekt zu finden, die den Stoff der Lektion nochmals aufgreift. Als Schlusspunkt jeder Lektion werden hier die neuen Strukturen und Redemittel systematisch zusammengefasst und transparent dargestellt.

Modul-Plus-Seiten
Vier zusätzliche Seiten runden jedes Modul ab und bieten weitere interessante Informationen und Impulse, die den Stoff des Moduls nochmals über andere Kanäle verarbeiten lassen.

Lesemagazin: Magazinseite mit vielfältigen Lesetexten und Aufgaben
Film-Stationen: Fotos und Aufgaben zu den Filmsequenzen der *Menschen*-DVD
Projekt Landeskunde: ein interessantes Projekt, das ein landeskundliches Thema aufgreift und einen zusätzlichen Lesetext bietet
Ausklang: ein Lied mit Anregungen für einen kreativen Einsatz im Unterricht

Zusätzliche interaktive Lernangebote
Der Stoff aus *Menschen* kann zu Hause selbstständig vertieft werden. Das fakultative Zusatzprogramm für die Lernenden ist passgenau mit dem Kursbuch verzahnt und befindet sich im Lehrwerkservice unter www.hueber.de/menschen.

Übersicht über die Verweise:

| interessant? ... führt zu einem Lese- oder Hörtext (mit Didaktisierung) oder Zusatzinformationen, die das Thema aufgreifen und aus einem anderen Blickwinkel betrachten

| noch einmal? ... hier kann man den KB-Hörtext noch einmal hören und andere Aufgaben dazu lösen

| Spiel & Spaß ... führt zu einer kreativen, spielerischen Aufgabe zum Thema

| Comic ... führt zu einem Comic, der an das Kursbuch-Thema anknüpft

| Beruf ... erweitert oder ergänzt das Thema um einen beruflichen Aspekt

| Diktat ... führt zu einem kleinen interaktiven Diktat

| Audiotraining ... Automatisierungsübungen für zu Hause und unterwegs zu den Redemitteln und Strukturen

| Karaoke ... interaktive Übungen zum Nachsprechen und Mitlesen

Im Lehrwerkservice finden Sie außerdem zahlreiche weitere Materialien zu *Menschen* sowie die Audio-Dateien zum Kursbuch als MP3-Downloads.

Viel Spaß beim Lernen und Lehren mit *Menschen* wünschen Ihnen

Autoren und Verlag

DIE ERSTE STUNDE IM KURS

1 Wählen Sie vier Themen und notieren Sie Informationen über sich.
Drei Informationen sind richtig, eine Information ist falsch.

Sprachen | Hobbys | Ausbildung/Beruf | Familie | Alter | Lieblingsstadt | Pläne | Träume | …

Ich habe ein Kind.
Ich arbeite als Verkäuferin.
Nach dem Deutschkurs will ich unbedingt in die Schweiz fahren.
Ich würde gern …

2 Sagen Sie Ihren Namen und lesen Sie die Informationen vor.
Die anderen notieren den Namen und machen Notizen.
Was meinen Sie: Welche Information ist falsch?

3 Vergleichen Sie. Haben Sie richtig geraten?

■ Maria, ich glaube, du hast keine Kinder.
▲ Doch, ich habe eine Tochter.
● Aber du arbeitest nicht als Verkäuferin.
▲ Ja, das stimmt.

Mein Opa war auch schon Bäcker. 1

▶1 02 **1 Sehen Sie das Foto an und hören Sie. Was ist richtig?**

a Paul und Franka backen ○ in der Schule ○ mit ihrem Großvater Brezeln.
b Paul findet Brezelnbacken am Anfang ○ kompliziert. ○ einfach.
c Paul bekommt Hilfe von ○ seinem Opa. ○ seiner Schwester.
d Am Ende klappt es ○ gut. ○ immer noch nicht so gut.
e Sie können mit dem Teig noch ○ 30 ○ 50 Brezeln backen.

2 Was sind/waren Ihre Großeltern von Beruf?
Finden Sie den Beruf interessant?

Mein Großvater war Arzt und mein Vater ist auch Arzt. Ich möchte auf keinen Fall Arzt werden. Mir dauert das Studium zu lange. …

Hören/Sprechen: über Berufe sprechen: *Mein Großvater war Arzt.*; Familiengeschichten erzählen: *Also passt auf: Onkel Willi war …*; Reihenfolge angeben: *zuerst – dann – …*
Wortfelder: Familie; Aktivitäten und Ereignisse
Grammatik: Possessivartikel *unser, euer* im Nominativ/Akkusativ/Dativ; Wiederholung: Perfekt *haben gestritten*; Präteritum *war/hatte*

Geschichten erzählen

draußen übernachten

auf Bäume klettern

Fußballbilder sammeln

Sachen auf dem Flohmarkt verkaufen

Einrad fahren

AB **3**

Das ist Onkel Willi.

a **Rätsel: Wer ist das? Was meinen Sie? Kreuzen Sie an.**

1 Der Bruder von Pauls Vater ist ○ Pauls Neffe. ○ Pauls Onkel.
2 Der Sohn von Pauls Tante ist ○ sein Schwiegersohn. ○ sein Cousin.
3 Der Opa von Paul und Franka hat eine Schwester.
Die Tochter von seiner Schwester ist ○ seine Nichte. ○ seine Tante.
4 Der Opa ist ○ der Bruder ○ der Schwiegervater von Frankas und Pauls Mutter.

▶1 03 **b** **Wer ist wer? Hören und notieren Sie.**

noch einmal?

~~ich~~ | Eltern | Lilli | Opa | Onkel Willi

GRAMMATIK WIEDERHOLUNG

ich	→	mein	Opa
du	→	dein	
er	→	sein	
es	→	sein	
sie	→	ihr	

GRAMMATIK

wir	→	unser	Opa
ihr	→	euer	
sie	→	ihr	
Sie	→	Ihr	

▶1 04 **c** **Hören Sie einen Ausschnitt noch einmal und ergänzen Sie.**

Spiel & Spaß

■ Und wer ist das?
▲ Das sind *meine* Eltern vor ihrer Bäckerei.
Das bin ich, das ist __________ Schwester Lilli und das da war __________ Opa.
■ Aber DU bist doch __________ Opa!
▲ Ja, ich bin __________ Opa. Aber das auf dem Foto, das war __________ Opa, versteht ihr?
Ich habe auch einen Opa gehabt, und der war auch schon Bäcker. __________ Opa hat __________ Bäckerei dann __________ Schwiegersohn übergeben. __________ Vater.

GRAMMATIK

	Nominativ Das ist/sind ...		**Akkusativ** Siehst du ...?		**Dativ** mit ...	
●	mein	Opa	mein**en**	Opa	mein**em**	Opa
●	mein	Baby	mein	Baby	mein**em**	Baby
●	meine	Tante	meine	Tante	mein**er**	Tante
●	meine	Neffen	meine	Neffen	mein**en**	Neffen

auch so: dein-, sein-, ihr-, unser-, eu(e)r-, ihr-, Ihr-

4

Würfelspiel: Sind das eure Schlüssel?

Arbeiten Sie zu viert auf Seite 73.

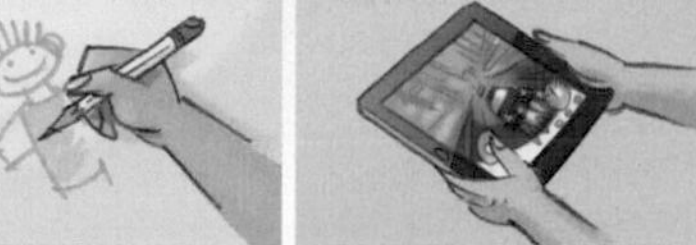

Skateboard fahren | Comics lesen | zeichnen | Computerspiele spielen | mit Puppen spielen | Süßigkeiten essen | Witze erzählen

▶1 05 AB

5 Er war schon verrückt, mein Onkel Willi!

interessant?

a Hören Sie die Geschichte über Onkel Willi und sortieren Sie die Bilder.

WIEDERHOLUNG

b Hören Sie noch einmal und ergänzen Sie die richtigen Formen.

GRAMMATIK

	Perfekt			
	Typ *machen – gemacht* *fahren – gefahren*	Typ *anmachen – angemacht*	Typ *telefonieren – telefoniert*	Typ *erkennen – erkannt*
arbeiten				
tanzen gehen				
backen				
streiten	sie haben gestritten			
rufen				
passieren			ist ...	
fahren				

GRAMMATIK

	Präteritum
sein	
haben	

Spiel & Spaß

c Zeichnen Sie eine Tabelle wie in b und ergänzen Sie die Verben.

vergessen | kaufen | verkaufen | kommen | ankommen | bekommen | anrufen | buchstabieren | ausmachen | stehen | verstehen | bestehen | fotografieren | suchen | besuchen

AB

6 Familien- und Kindheitserinnerungen

a Sehen Sie das Bildlexikon zwei Minuten lang an. Schließen Sie dann Ihr Buch. Ihre Kursleiterin / Ihr Kursleiter nennt die Aktivitäten. Haben Sie das als Kind gern gemacht? Dann stehen Sie auf.

b Arbeiten Sie zu zweit und schreiben Sie sechs Fragen wie im Beispiel. Hilfe finden Sie im Bildlexikon und im Wörterbuch.

c Wahrheitsspiel: Arbeiten Sie auf Seite 74.

1 Hast du früher oft deine Großeltern besucht?
2 Bist du als Jugendlicher oft tanzen gegangen?
3 Hast du schon einmal Sachen auf dem Flohmarkt verkauft?
4 Hast du als Kind gern mit Puppen/Autos gespielt?
5 Hast/Bist du ...

SPRECHTRAINING

▶1 05 **7 Hören Sie die Geschichte von Onkel Willi noch einmal. Was ist passiert?**
Erzählen Sie die Geschichte nach.

nicht fleißig | nicht gern gearbeitet | lieber tanzen gegangen | Vater krank | Bäckerei nicht aufgemacht | keine Brezeln gebacken | Bäckerei geschlossen | gestritten | Vater gerufen: „Geh doch dahin, wo der Pfeffer wächst!“ | Motorrad gekauft | nach Indien gefahren

zuerst → dann → danach → zum Schluss INFO

AB **8 Familiengeschichten: Gibt es in einer Ihrer Familien auch eine interessante Person wie Onkel Willi?**

a Arbeiten Sie zu viert. Machen Sie Notizen wie in 7. Suchen Sie auch die passenden Verbformen.

b Erzählen Sie Ihre Geschichte gemeinsam im Kurs.

Diktat

KOMMUNIKATION
Habe ich euch schon von meinem/meiner ... erzählt?
Also passt auf: ...
Und wisst ihr, was ... dann gemacht hat?
Wisst ihr, was dann passiert ist?
Er/Sie war schon verrückt/nett/lustig, mein/meine ...

c Welche Geschichte gefällt Ihnen am besten? Machen Sie eine Abstimmung.

Audiotraining | Karaoke

GRAMMATIK

Possessivartikel *unser/euer/ihr/Ihr*

	wir	**ihr**	**sie (Plural)**	**Sie (Singular/ Plural)**
●	unser	euer	ihr	Ihr Opa
●	unser	euer	ihr	Ihr Baby
●	unsere	eure	ihre	Ihre Tante
●	unsere	eure	ihre	Ihre Neffen

Possessivartikel im Nominativ, Akkusativ und Dativ

	Nominativ Das ist/sind ...	**Akkusativ** Siehst du ...?	**Dativ** mit ...
●	mein Opa	mein**en** Opa	mein**em** Opa
●	mein Baby	mein Baby	mein**em** Baby
●	meine Tante	meine Tante	mein**er** Tante
●	meine Neffen	meine Neffen	mein**en** Neffen

auch so: dein-, sein-, ihr-, unser-, eu(e)r-, ihr-, Ihr-

KOMMUNIKATION

über Berufe sprechen

Mein Großvater war Arzt und mein Vater ist auch Arzt. Ich möchte auf keinen Fall Arzt werden. Mir dauert das Studium zu lange.

Familiengeschichten erzählen

Habe ich euch schon von meinem/meiner ... erzählt?
Also passt auf: ...
Und wisst ihr, was ... dann gemacht hat?
Wisst ihr, was dann passiert ist?
Er/Sie war schon verrückt/nett/lustig, mein/meine ...

Reihenfolge angeben

zuerst – dann – danach – zum Schluss

Wohin mit der Kommode? 2

Sprechen: Einrichtungstipps geben: *Stellen Sie eine Lampe auf den Tisch!*
Lesen: Magazintext
Schreiben: Kreatives Schreiben
Wortfelder: Einrichtung, Umzug
Grammatik: Wechselpräpositionen mit Dativ und Akkusativ: *Wo? – Vor dem Sofa. / Wohin? – Vor das Sofa.*; Verben mit Wechselpräpositionen: *stehen – stellen …*

1 Sind Sie schon einmal umgezogen? Wie oft?

■ Ich bin schon viermal umgezogen. Das macht mir Spaß. Ich renoviere gern und richte auch gern Wohnungen ein.
▲ Wirklich? Ich finde das blöd. Ich ziehe gar nicht gern um.

▶1 06
2 Sehen Sie das Foto an und hören Sie. Wer sagt was?

	Jasmin	Stefan	Möbelpacker
a Die Kommode soll neben der Tür stehen.	○	○	○
b Sie soll lieber unter dem Fenster stehen.	○	○	○
c Sie sollen nicht mehr diskutieren.	○	○	○
d Die Kommode ist schwer.	○	○	○

an die Wand

an der Wand

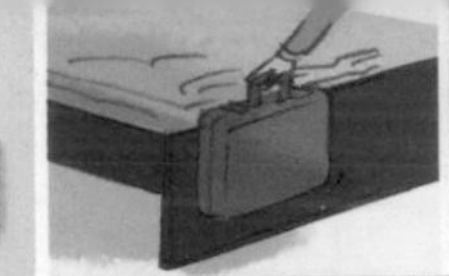

neben das Bett

neben dem Bett

vor die Tür

vor der Tür

hinter die Tür

hinter der Tür

▶1 07 AB

3 Das Fernsehgerät muss vor dem Sofa stehen.

a Welche Beschreibung passt? Hören Sie die Aussagen 1 und 2 von Stefan und Jasmin und ordnen Sie sie den Fotos zu.

○

○

b Wo sind die Sachen? Hören Sie noch einmal und ergänzen Sie.

1 Der Schrank kann in der Ecke oder neben dem ______________ stehen.
2 Auf dem ______________ liegen ein paar hübsche Kissen.
3 Das Fernsehgerät verstecke ich im ______________.
4 An der Wand hängen Bilder.

Spiel & Spaß

4 Zimmer beschreiben: Unterschiede finden

Arbeiten Sie auf Seite 75. Ihre Partnerin / Ihr Partner arbeitet auf Seite 77.

AB

5 Ein Zimmer einrichten

a Was ist richtig? Lesen Sie den Magazintext auf Seite 15 und kreuzen Sie an.

1 Einrichten ist Geschmackssache. Man kann keine Tipps geben. ○
2 Aufpassen müssen Sie mit großen Möbelstücken. Sie machen ein Zimmer dunkel. ○
3 Stellen Sie nicht zu viele Dinge auf ein Regal. ○
4 Licht ist nicht so wichtig. ○
5 Teppiche machen einen Raum ungemütlich. ○

b Lesen Sie die Tipps und markieren Sie den passenden Artikel. Ergänzen Sie dann die Tabelle.

1 Hat der Raum zwei Türen? Dann stellen Sie große Möbelstücke zwischen ⊗ die ○ den Türen.
2 Stellen Sie nur wenige Urlaubs-Souvenirs auf ○ ein ○ einem Regal.
3 Legen Sie einen Teppich auf ○ dem ○ den Boden.
4 Stellen Sie große Möbelstücke vor ○ ein ○ eine helle Wand.

GRAMMATIK

Wohin stellen/legen/hängen ...? + Akkusativ			Wo steht/liegt/hängt ...? + Dativ		
● auf	________ / einen	Tisch	auf	dem / einem	Tisch
● auf	das / ________	Regal	auf	dem / einem	Regal
● vor	die / ________	Wand	vor	der / einer	Wand
● zwischen	die / –	Türen	zwischen	den / –	Türen

Spiel & Spaß

c Im Kursraum: *Wohin* und *Wo?* Sprechen Sie. Hilfe finden Sie im Bildlexikon.

■ Wohin soll ich dein Buch legen?
▲ Leg das Buch auf das Heft. Wo ist mein Buch jetzt?
■ Dein Buch liegt auf dem Heft.

zwischen die Türen

zwischen den Türen

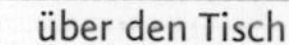
über den Tisch

über dem Tisch

unter das Bett

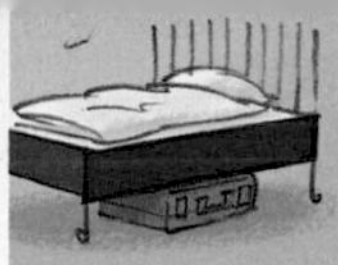
unter dem Bett

in den Schrank

im Schrank

IST EINRICHTEN WIRKLICH GESCHMACKSSACHE?

VIELLEICHT, JEDER RICHTET SEINE WOHNUNG JA ANDERS EIN.

Vom Klassiker, dem Wohnzimmer mit Sofa-Landschaft, über das moderne, fast schon leere Zimmer, bis hin zur Kuschel-Ecke für Romantiker ist alles möglich.

Wer ein paar wichtige Dinge beachtet, hat es zu Hause immer gemütlich. Hier die wichtigsten Tipps der DOMIZIL-Redaktion:

Vorsicht mit großen Möbelstücken! Immer vor eine helle Wand oder zwischen zwei Türen stellen, sonst wird das Zimmer schnell zu dunkel.

Weniger ist mehr! Stellen Sie nur wenige Urlaubs-Souvenirs auf ein Regal oder auf einen Schrank. Dann sieht es nicht aus wie auf einem Flohmarkt.

Schön: ein Sofa unter einem Regal. Aber: Das Sofa nicht vor die Heizung stellen! Sonst wird das Zimmer nicht richtig warm.

Stellen Sie eine Lampe auf den Tisch. Das Licht ist dann indirekt und wärmer als direktes Deckenlicht.

Legen Sie einen Teppich auf den Boden. Ein Teppich auf dem Boden macht das Zimmer gleich viel gemütlicher.

AB | 6 | Beruf

Ein Zimmer einrichten: Wohin sollen die Sachen?

Arbeiten Sie auf Seite 76. Ihre Partnerin / Ihr Partner arbeitet auf Seite 78.

AB | 7 | interessant?

Unsere besten Tipps

a **Arbeiten Sie in Gruppen. Welche vier Einrichtungstipps finden Sie am wichtigsten? Machen Sie ein Plakat.**

1 wenige Möbelstücke in einen Raum stellen

2 Vorsicht mit zu viel Farbe!

3 ...

b **Präsentieren Sie Ihr Plakat im Kurs.**

Stellt nur wenige Möbelstücke in einen Raum. Der Raum wird sonst ...

KOMMUNIKATION

Stellt/Legt/Hängt nicht/nur ...
Sonst wird der Raum / das Zimmer ...
Dann sieht man ...
Vorsicht mit ... / Passt auf mit ... / Seid vorsichtig mit ...
Schön ist ein Bild / ... an der Wand / vor ...
Aber: Hängt/Stellt/Legt nicht/kein- ...

SCHREIBTRAINING

AB 8 **Kreatives Schreiben: ein Gedicht**

a Wählen Sie einen Gegenstand / eine Sache aus Ihrem Haus oder Ihrer Wohnung und notieren Sie Ihre Assoziationen.

Etwas aus Haus oder Wohnung: ....

Wie ist das? (Farbe, Form oder Eigenschaft) ....

Wo ist/steht es? ....

Etwas aus Haus oder Wohnung: das Werkzeug
Wie ist das? praktisch
Wo ist/steht es? im Keller

das Essen
lecker
auf dem Herd

Diktat

b Schreiben Sie nun ein Gedicht und lesen Sie es dann vor.

1. Zeile: die Farbe, die Form oder die Eigenschaft (1 Wort) — praktisch
2. Zeile: der Gegenstand / die Sache — das Werkzeug
3. Zeile: Wo ist/steht das? (2–3 Wörter) — im Keller
4. Zeile: Schreiben Sie einfach weiter. (3–5 Wörter) — kann es oft nicht finden
5. Zeile: Abschluss (1 Wort) — schade

lecker
das Essen
auf dem Herd
dazu ein Glas Wein
Hunger

Audiotraining | Karaoke

GRAMMATIK

Wechselpräpositionen mit Dativ und Akkusativ

	Wohin stellen/legen/hängen ...? Akkusativ		**Wo steht/liegt/hängt ...? Dativ**	
	definiter Artikel	indefiniter Artikel	definiter Artikel	indefiniter Artikel
●	auf den Tisch	auf einen Tisch	auf dem Tisch	auf einem Tisch
●	auf das Regal	auf ein Regal	auf dem Regal	auf einem Regal
●	vor die Wand	vor eine Wand	vor der Wand	vor einer Wand
●	zwischen die Türen	zwischen zwei / – Türen	zwischen den Türen	zwischen zwei / – Türen

auch so bei: an, neben, hinter, über, unter, in

! in dem = im
an dem = am

KOMMUNIKATION

Einrichtungstipps geben

Stellt/Stellen Sie nicht/nur ...
Sonst wird der Raum / das Zimmer ...
Dann sieht man ...
Vorsicht mit / Passt auf mit ... /
Seid vorsichtig mit ...
Schön ist ein Bild / ... an der Wand. / vor ...
Aber: Hängt/Stellt/Legt nicht/kein- ...

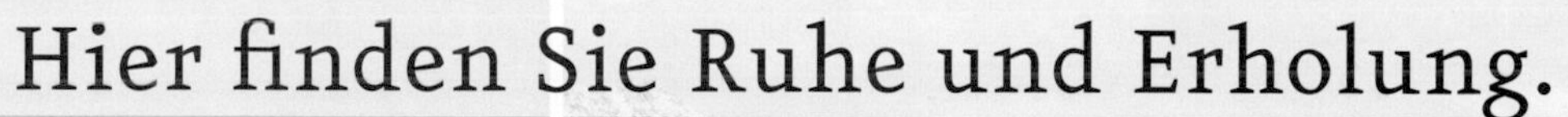

Hier finden Sie Ruhe und Erholung. 3

A

B

C

D

Sprechen: etwas bewerten: *Die Idee gefällt mir überhaupt nicht.*; Vorlieben und Wünsche ausdrücken: *Ich würde am liebsten … buchen.*

Lesen: touristische Werbebroschüren und Anzeigen

Wortfelder: Natur und Landschaften

Grammatik: Wortbildung Nomen: Verb + *-er: der Vermieter*, Verb + *-ung: die Ordnung*

1 Sehen Sie die Fotos an.
Welches Foto gefällt Ihnen?

Mir gefällt Foto B am besten.
Ich mag die Berge so gern.

▶ 1 08 **2 Wie begrüßt man sich in den verschiedenen Regionen?**
Sehen Sie die Fotos an und hören Sie.
Ordnen Sie dann zu.

Guten Tag | Grüß Gott |
Grüezi mitenand | Tach

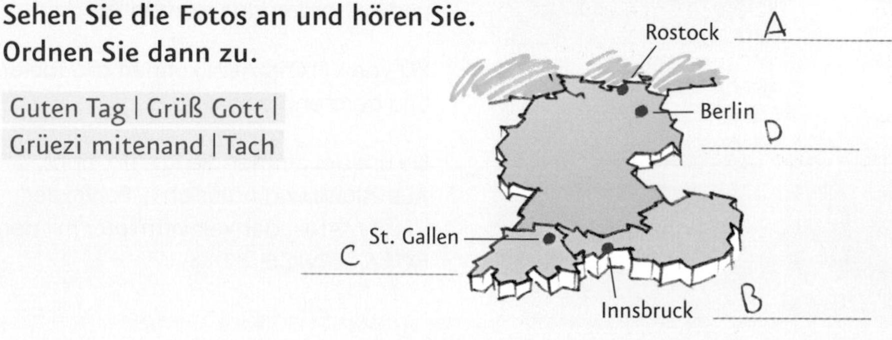

● Wald

● Wiese

● Pflanze

● Dorf

● Katze

● Hund

● Vogel

● Frosch

AB

3 Landschafts- und Städtereisen

Spiel & Spaß

a Welches Foto passt? Überfliegen Sie die Werbetexte und ordnen Sie zu.

1 

2 

3 

4 

Ⓐ ○

Zu viel Stress? Alles zu schnell? Stopp!

Hier finden Sie **Ruhe, Entspannung** und **Erholung**: Auf dem **Öko-Wellness-Bauernhof** von Johann und Theresia Lindthaler gehen die Uhren anders.

Bei uns gibt es keine Termine. Hier muss nichts schnell gehen. Sie dürfen langsam sein, lange schlafen, lange frühstücken, unseren Bergkräutertee, unsere Original-Heudampfbäder und unsere gute Luft genießen. Wandern Sie über hellgrüne Wiesen, durch dunkelgrüne Wälder und Sie werden erleben: Hier auf dem Lindthaler-Hof ist die Welt noch in Ordnung.

Und wenn Sie doch mal einen Einkaufsbummel machen wollen? Dann fahren Sie einfach ins Inntal hinunter: Mit dem Auto sind es nur 15 Minuten nach Innsbruck.

Herzlich willkommen! *Ihre Familie Lindthaler*

INFO
- ● grün
- ● hellgrün
- ● dunkelgrün

Ⓑ ○

Du möchtest KITE-SURFEN lernen ...?

Na, dann komm doch gleich zu uns nach Pepelow am Salzhaff!!
Du hast die Motivation, wir haben die Erfahrung.

Unsere Segel- und Surf-Schule **‚WINDKIND'** ist der ideale Ort für dich:

- hier gibt es Unterricht für Anfänger und Fortgeschrittene
- unsere Kurse sind nicht teuer
- unsere Gruppen sind klein
- wir sind den ganzen Tag draußen: am Strand und auf dem Meer
- alle unsere Lehrer machen ihren Job wirklich gern
- außerdem haben wir (fast) immer Wind
- und du bekommst bei uns die neueste Surf-Mode zu absoluten Top-Preisen

Also, worauf wartest du noch? Melde dich hier an!
‚WINDKIND', so soll es sein:
Spaß ganz groß & Preise klein!

Ⓒ ○

VELO-MANN

Ihr sympathischer Velovermieter am Bodensee.

Es gibt viele Velo-Touren am Schweizer Bodensee zwischen Kreuzlingen und Rohrschach.

Zum Beispiel können Sie am Ufer entlang fahren und ohne Anstrengung den Blick auf den See genießen. Oder Sie machen eine Fahrt über die Hügel und durch die Dörfer und sehen im Süden die Schweizer Alpen und im Norden den ganzen See.

Wir von VELO-MANN kennen alle Touren und beraten Sie sehr gern.

Bei uns bekommen Sie Karten, Tipps, Ausrüstung und natürlich ... Fahrräder!
VELO-MANN, der Velovermieter mit dem EXTRA-SERVICE!

(D) ○

N&K-Reisen

NATUR & KULTUR

Landschafts- und Städtereisen

Sie sind Naturliebhaber?
Sie hören gern Frösche quaken und Vögel singen?
Sie sind offen für die Landschaft und für Pflanzen und Tiere am und im Wasser?
Aber: Sie sind auch Großstadt-Fan und genießen gerne mal einen Stadtbummel?

WASSERWANDERN SPREE – BERLIN

Dann haben wir ein Superangebot für Sie: Fahren Sie mit dem Kajak in fünf bis sieben Tagen vom Spreewald bis nach Berlin. Die Tour beginnt auf der Spree in Lübben und endet auf dem Langen See in Berlin-Köpenick. Sie übernachten im Zelt auf Campingplätzen direkt am Wasser. Sprechen Sie mit uns. Wir machen Ihnen ein Angebot genau nach Ihren Wünschen.

Spiel & Spaß

b Lesen Sie die Texte noch einmal. Hilfe finden Sie auch im Bildlexikon. Was ist richtig? Kreuzen Sie an.

(A) 1 Der Bauernhof liegt in der Nähe von Innsbruck. ○
2 Urlaub bei Familie Lindthaler ist ideal für Wanderer. ○

(B) 3 Bei *Windkind* machen Sie Sport und sind den ganzen Tag am Wasser. ○
4 Nur als Fortgeschrittener dürfen Sie beim Unterricht mitmachen. ○

(C) 5 Der Velovermieter ist in den Schweizer Alpen. ○
6 Sie können Karten und Fahrräder, aber auch Beratung bekommen. ○

(D) 7 *N&K-Reisen* bietet eine Wanderung auf der Spree an. ○
8 Sie können sportlich aktiv sein, die Natur genießen und Berlin erleben. ○

GRAMMATIK

Verb + -er	→	**Nomen**
wander-n + -er	→	der Wander**er**
Verb + -ung	→	**Nomen**
berat-en + -ung	→	die Berat**ung**

AB

4 Wörter im Text verstehen

Arbeiten Sie zu zweit auf Seite 79.

interessant?

5 Landschaften beschreiben: In der Mitte ist ein See.

Arbeiten Sie zu dritt auf Seite 75.

AB

6 Das Angebot gefällt mir.

Diktat

a Welches Angebot gefällt Ihnen am besten? Überfliegen Sie die Werbetexte in 3a noch einmal und notieren Sie Stichwörter.

	(A)
Wie finden Sie die Idee?	ganz in Ordnung
Warum?	viele Menschen haben zu viel Stress
Würden Sie die Reise buchen?	auf keinen Fall
Warum / Warum nicht?	zu langweilig, zu wenig Menschen

Comic

b Erzählen Sie. Verwenden Sie dabei Ihre Stichwörter aus a.

1 Welches Angebot / Welche Idee gefällt Ihnen am besten?
2 Welche Reise würden Sie am liebsten buchen?

KOMMUNIKATION

Also ich finde/denke/mag …
Mir gefällt das Angebot / die Idee auch sehr gut / nicht besonders / überhaupt nicht.
Glaubst du, das funktioniert?
Ich glaube, das funktioniert nicht.
Ja, ich glaube schon. … liegt im Trend / ist gerade in.
Ich würde am liebsten … buchen.
Echt/Wirklich? Ich fahre lieber …

3

MINI-PROJEKT

7 Reiseveranstalter

Beruf

a Ihre Geschäftsidee: Was für Reisen/Aktivitäten wollen Sie anbieten? Arbeiten Sie in Gruppen. Notieren Sie fünf Dinge. Suchen Sie dann einen passenden Namen für Ihre Firma.

- ■ Wie heißt unsere Firma?
- ▲ Vielleicht *Skihasen*?
- ● Ach nein. Ich finde, *Ski und Rodel gut* besser.
- ■ Okay. Das ist eine gute Idee.

b Schreiben Sie den Namen an die Tafel. Was bieten Sie an? Die anderen Gruppen raten. Für jede richtige Antwort gibt es einen Punkt.

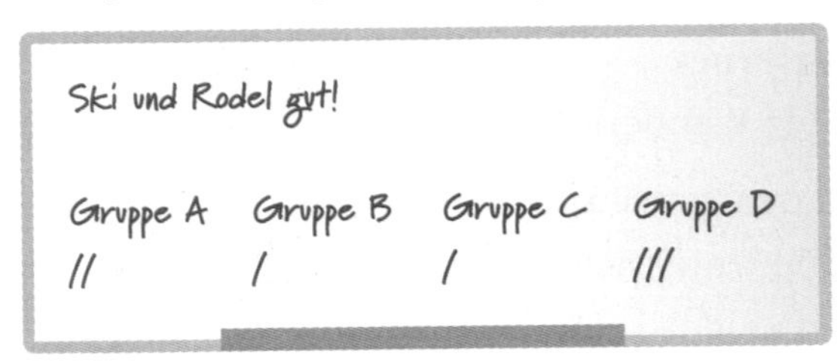

- ■ Wollt ihr Skikurse anbieten?
- ▲ Ja, das ist richtig.
- ■ Und bietet ihr auch ... an?

Audiotraining

Karaoke

GRAMMATIK

Wortbildung: Verb → Nomen	
Verb + -er	**→ Nomen (meist Personen)**
wander-n + -er	→ der Wander**er**
auch so: vermieten, mieten, fahren, surfen ...	

Verb + -ung → Nomen
erfahr-en + -ung → die Erfahr**ung**
auch so: ordnen, erholen, entspannen, anstrengen, ausrüsten, übernachten, wandern, anmelden, beraten ...

KOMMUNIKATION

etwas bewerten

Welche Idee gefällt Ihnen am besten?
Also ich finde/denke/mag ...
Mir gefällt das Angebot / die Idee auch sehr gut / nicht besonders / überhaupt nicht.
Glaubst du, das funktioniert?
Ich glaube, das funktioniert nicht.
Ja, ich glaube schon. Wandern / ... liegt im Trend / ist gerade in.

Vorlieben und Wünsche ausdrücken

Welche Reise würden Sie am liebsten buchen?
Ich würde am liebsten ... buchen.
Echt/Wirklich? Ich fahre lieber ...

MEIN FAMILIENSTAMMBAUM

Hallo Leute!
Das ist mein Stammbaum. Ratet mal, wer ich bin. Ich bin noch nicht verheiratet, lebe aber auch nicht allein. Denn ich habe eine große Familie:

Meine Großeltern väterlicherseits leben in der Türkei. Sie besitzen ein kleines Hotel am Meer, zusammen mit meiner Tante Leyla und meinem Onkel Emre. Onkel Emre und Tante Leyla haben zwei Kinder – meinen Cousin Murat und meine Cousine Kiraz. Sie sind beide 13 Jahre alt. Genau! Sie sind Zwillinge.

Und nun zu meiner Familie mütterlicherseits: Mamas Eltern heißen Ahmet und Pinar. Sie sind in den 50er Jahren nach Deutschland ausgewandert. Mein Großvater hatte einen tollen Job bei BMW. Meine Großmutter war Hausfrau. Ihr Sohn, Onkel Deniz, ist Friseur. Er arbeitet in einem Salon in der Stadt. Ihre Tochter, also meine Mutter, hat in Regensburg an der Uni Medizin studiert. Dort hat sie auch meinen Vater kennengelernt. Sie sind beide Hautärzte und haben eine Praxis zusammen. Um den Haushalt kümmern sich meine Großeltern. Sie wohnen bei uns.

Ich habe zwei Geschwister. Mein Bruder Mert geht in die 7. Klasse. Meine Schwester Sibel macht eine Ausbildung zur Krankenschwester. Und ich? Ach ja ... habt ihr es erraten? Ich bin 18 Jahre alt und gehe noch zur Schule. Ich will Lehrerin werden.

Oft verbringen wir unseren Urlaub bei meinen Großeltern in der Türkei. Wenn wir alle zusammen sind, lachen und reden wir bis tief in die Nacht. Ich bin sehr stolz auf meine Familie. Es gibt keine bessere!

Opa Ahmet
kann alles reparieren

Oma Pinar
macht die besten Börek

Opa
hat ein Hotel

Oma
wohnt am Meer

leben in der Türkei

Onkel Deniz
lebt allein

Mama
spricht viele Sprachen

Papa
ist von Beruf Hautarzt

Onkel Emre
ist verheiratet

Leyla
wohnt in Patara

Mert
geht gern ins Kino

Meral

Sibel
arbeitet als
Krankenschwester

Murat
ist 13 Jahre alt

Kiraz
hat eine süße Katze

1 Wer hat den Text geschrieben?
Überfliegen Sie den Text und markieren Sie die Person im Stammbaum. Lesen Sie dann noch einmal und ergänzen Sie Informationen über die Personen im Stammbaum.

2 Und Sie? Haben Sie auch eine große Familie? Erzählen Sie.

▶ Clip 1

1 Der Umzug

a Wie heißen die Personen? Sehen Sie den ersten Teil des Films (bis 1:08) und ergänzen Sie.

__________ __________ __________ __________

b Wie geht der Film weiter? Was meinen Sie?

Ich glaube, Lena und Christian laden die beiden zum Kaffee ein.

c Sehen Sie den Film nun ganz und korrigieren Sie.

1 Christian kann ~~sein Handy~~ nicht finden. den Schlüssel
2 Melanie und Max sind die neuen Kollegen von Lena und Christian.
3 Lena und Christian haben sich in der Schweiz kennengelernt.
4 Sie sind nach München gezogen, weil Lena ein tolles Jobangebot bekommen hat.
5 Lena und Christian brauchen doch keinen Schlüsseldienst, weil Melanie den Schlüsselbund auf der Straße gefunden hat.
6 Max hilft Lena und Christian mit dem Schrank.

d Welche Möbelstücke sehen Sie? Sehen Sie einen Ausschnitt aus dem Film (2:43 bis 3:25) noch einmal und notieren Sie.

einen Teppich, __________
____
____

2 Glück oder Pech?

a Was bedeutet das? Ordnen Sie zu und vergleichen Sie mit dem Film.

Mit Brot und Salz wünschen Nachbarn  — sieben Jahre Pech.
Ein zerbrochener Spiegel bedeutet  — Glück.
Scherben bringen  — Glück im neuen Haus.

b Machen Sie Notizen zu den Fragen und erzählen Sie.

1 Was bringt Ihnen Glück/Pech? __________
2 Haben Sie einen Glücksbringer? __________

1 Die Familie Mann: Lesen Sie den Lexikonartikel und ergänzen Sie die Tabelle.

Die Familie Mann

Die Familie Mann ist eine deutsche Familie aus Lübeck. Am berühmtesten sind die Brüder Heinrich Mann (1871–1950) und Thomas Mann (1875–1955). Ihr Vater ist der Lübecker Kaufmann Thomas Johann Heinrich Mann. Ihre Mutter Julia (geborene da Silva-Bruhns) ist brasilianischer Herkunft. Wichtige Bücher von Heinrich und Thomas Mann sind zum Beispiel *Der Untertan* (Heinrich Mann) sowie *Buddenbrooks, Der Zauberberg* und *Doktor Faustus* (Thomas Mann).
Nach dem Tod des Vaters zieht die Familie 1893 nach München.

Heinrich Mann heiratet 1914 die Prager Schauspielerin Maria Kanová. Ihre Tochter Leonie kommt zwei Jahre später zur Welt. 1930 lässt Heinrich sich von Maria scheiden und zieht nach Berlin. Seine zweite Ehefrau Nelly Krüger heiratet er 1939. Von 1933 bis 1940 lebt die Familie in Frankreich und 1940 gehen Heinrich und Nelly in die USA ins Exil. 1950 stirbt Heinrich Mann dort.

Thomas Mann heiratet 1905 Katia Pringsheim, die Tochter eines Münchner Professors. Mit ihr bekommt Thomas Mann sechs Kinder. Drei der Kinder werden auch Schriftsteller: Erika, Klaus und Golo Mann. 1929 bekommt Thomas Mann den Nobelpreis für Literatur für seinen Roman *Buddenbrooks*. In der Zeit von 1933 bis 1938 lebt die Familie in der Schweiz und emigriert 1938 in die USA. Im Juni 1952 kommen Thomas und Katia zusammen mit ihrer Tochter Erika wieder in die Schweiz zurück. Hier stirbt Thomas Mann 1955.

	Heinrich Mann	Thomas Mann
Familie	Vater: Thomas Johann Heinrich Mann Mutter: ... 1. Ehefrau: ... Kinder:	
Leben	in Lübeck geboren ...	
Beruf / Werke	Schriftsteller „Der Untertan"	

2 Berühmte Familien aus den deutschsprachigen Ländern oder aus Ihrem Heimatland

a Wählen Sie eine Familie, suchen Sie Informationen und machen Sie Notizen.

Familie		
Leben		
Beruf		

b Präsentieren Sie „Ihre" Familie im Kurs.

Ich möchte von der Familie ... erzählen.
Am berühmtesten ist/sind ...

Früher war alles besser

Im Keller ist es dunkel, im Keller ist es kalt.
Hier gibt es viele Sachen, die meisten sind sehr alt.
Schon lange steht auch Walter hier in der „Unterwelt".
Wer hat denn diesen Gartenzwerg ins Regal gestellt?
Hat Walter selbst 'ne Meinung zu seiner Situation?
Natürlich hat er eine! Hört zu, hier kommt sie schon:

Früher war alles besser.
Früher war alles schön.
Früher war ich jeden Tag im Garten
und hab' den Himmel und die Sonne gesehen.
Früher war alles besser.
Früher war alles fein.
Ich hatte sogar eine Gartenzwergfrau
und war nicht so schrecklich allein.

Im Keller ist es dunkel, im Keller ist es kalt.
Hier liegen viele Sachen, die meisten sind sehr alt.
Gartenzwergin Berta liegt in dem Puppenhaus.
Wer hat sie denn dort hingelegt? Das sieht ja komisch aus!
Hat Berta selbst 'ne Meinung zu ihrer Situation?
Natürlich hat sie eine! Hört zu, hier kommt sie schon:

Früher war alles besser.
Früher war alles schön.
Früher war ich jeden Tag im Garten
und hab' die Sonne und den Himmel gesehen.
Früher war alles besser.
Früher war alles fein.
Ich hatte sogar einen Gartenzwergmann
und war nicht so schrecklich allein.

▶1 09 **1 Hören Sie das Lied und lesen Sie mit.**
Welche Wörter passen zu den Orten? Lesen Sie den Text noch einmal und notieren Sie. Vergleichen Sie dann mit Ihrer Partnerin / Ihrem Partner.

Keller: dunkel, viele Sachen, ____________________

Garten: ____________________

▶1 09 **2 Hören Sie das Lied noch einmal und singen Sie mit.**

Was darf es sein? 4

Hören/Sprechen: Einkaufen: *Ich hätte gern einen mageren Schinken.*; Vorlieben äußern: *Ich möchte lieber …*

Wortfelder: Lebensmittel, Verpackung und Gewichte

Grammatik: Adjektivdeklination nach indefinitem Artikel: *einen milden Käse*

▶1 10 **1 Sehen Sie das Foto und den Einkaufszettel an und hören Sie.**
Wer hat den Zettel geschrieben und für wen kauft Otto ein? Was meinen Sie?

für die Familie | für Freunde | für Kollegen | für Mitbewohner | …

Käse, mild
ein Brot
zehn Brötchen
drei Dosen Thunfisch
200 g Knoblauchsalami
3 Liter normale Milch
4 Flaschen Eistee
ein Kilo Weintrauben
Pfirsiche
250 g mageren Schinken
je 1x Paprika grün und rot
Salami
eine Packung Tee
2 Gläser Senf

AB **2 Wie / Wie oft kaufen Sie normalerweise ein? Erzählen Sie.**

mit/ohne Einkaufszettel | einmal pro Woche / täglich | hungrig/satt | …

Ich gehe nie hungrig einkaufen, denn sonst kaufe ich zu viel.

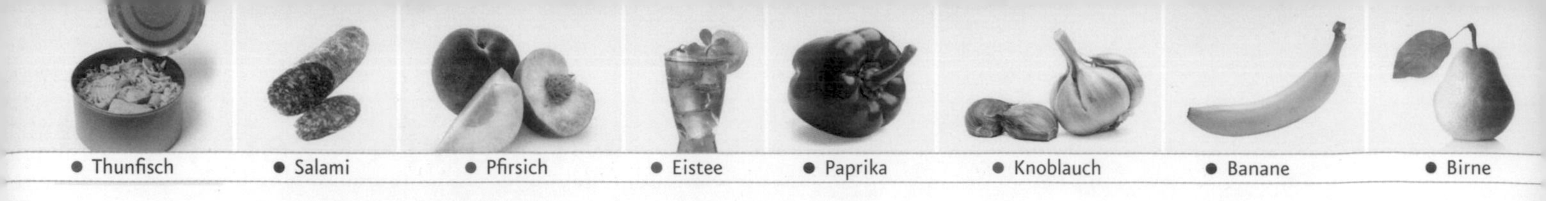

AB **3** Spiel & Spaß

Sehen Sie das Bildlexikon an. Schreiben Sie in drei Minuten so viele Kombinationen wie möglich.

AB **4**

Was darf's sein?

▶ 1 11 **a** **Was ist richtig? Hören Sie und kreuzen Sie an.**

1 Otto hat Probleme, denn es fehlen genaue Angaben auf dem Einkaufszettel. ○
2 Otto kennt seine Mitbewohner und ihre Essgewohnheiten gut. ○
3 Er will zu Hause anrufen, aber sein Handy funktioniert nicht. ○
4 Er kauft zu viel ein, denn er will keine Fehler machen. ○

▶ 1 11–13 **b** **Hören Sie noch einmal und hören Sie weitere Gespräche im Supermarkt. Was und wie viel kauft Otto? Kreuzen Sie an und notieren Sie die Mengen.** (noch einmal?)

	Was?	Wie viel?		Was?	Wie viel?
1	○ Frischkäse	______	3	○ Schinken (roh)	______
	○ Käse (weich)	______		○ Schinken (gekocht)	______
	○ Käse (hart)	______		○ Pfeffersalami	______
2	○ Buttermilch	______		○ Knoblauchsalami	______
	○ Vollmilch (3,5 % Fett)	______			
	○ Milch (fettarm, 1,5 % Fett)	______			
	○ Magermilch (0,5 % Fett)	______			

INFO
1 Kilogramm (kg) = 1000 Gramm (g)
1 Pfund = 500 Gramm
1 Liter (l)

AB **5** Spiel & Spaß

Ergänzen Sie die Endungen mithilfe der Tabelle.

■ Ich hätte gern einen mild____ Käse.
● Möchten Sie lieber einen weich____ Käse oder einen hart____?
■ Das ist eine gut____ Frage.

■ Haben Sie denn keine normal____ Milch?
● Meinen Sie Vollmilch, fettarme Milch oder Magermilch?

■ Ich hätte gern einen mager____ Schinken.
▲ Soll es ein roh____ Schinken sein oder ein gekocht____?

GRAMMATIK

	Nominativ Das ist/sind ...			Akkusativ Ich hätte gern ...			Dativ mit ...		
●	ein	magerer	Schinken	einen	mageren	Schinken	einem	mageren	Schinken
●	ein	helles	Brot	ein	helles	Brot	einem	hellen	Brot
●	eine	grüne	Paprika	eine	grüne	Paprika	einer	grünen	Paprika
●	–	helle	Brötchen	–	helle	Brötchen	–	hellen	Brötchen

● Saft

● Bohne

● Mehl

● Marmelade

● Quark

● Cola

●/● Bonbon

AB 6 Was haben Sie diese Woche gekauft? Machen Sie eine Kettenübung.

■ Ich habe ein neues Handy gekauft.
● Ich habe ein neues Handy und einen blauen Kugelschreiber gekauft.
▲ Ich habe ein neues Handy, einen blauen Kugelschreiber und eine rote Hose mit einem schwarzen Gürtel gekauft.
▼ …

AB 7 Ich hätte gern einen mageren Schinken.

a Wer sagt das? Notieren Sie K für Kunde/-in und V für Verkäufer/-in.

Ⓚ Ich hätte gern …
◯ Was darf es sein?
◯ Möchten Sie lieber … oder …?
◯ Ich nehme …
◯ Meinen Sie … oder …?
◯ Dann geben Sie mir doch bitte …
◯ Soll es … oder … sein?
◯ Hier, sehen Sie mal: Die sind heute beide im Angebot.

b Einkaufsgespräche üben. Arbeiten Sie auf Seite 81, Ihre Partnerin / Ihr Partner arbeitet auf Seite 83.

▶ 1 14 8 Warum hast du denn so viel eingekauft?

a Hören Sie und korrigieren Sie.

1 Der Einkauf kostet 29,10 Euro.
2 Jochen und Bruno meinen: Otto hat zu wenig eingekauft.
3 Für Bruno ist fettarme Milch normale Milch.
4 Otto wohnt seit 18 Tagen in der WG.
5 Otto hat ~~sehr gute~~ Nerven, meint Bruno. *keine guten*

Diktat

b Haben Sie auch schon einmal das Falsche eingekauft? Erzählen Sie.

Letzten Monat habe ich für drei Personen zwei Kilo grüne Bohnen gekauft. Das war viel zu viel. So haben wir dann die nächsten drei Tage Bohnen gegessen.

MINI-PROJEKT

9 Im Frühstücks-Café

interessant?

a Sie gehen gemeinsam frühstücken und bestellen für Ihre Partnerin / Ihren Partner. Was isst sie/er gern? Was meinen Sie? Wählen Sie für sie/ihn aus und kreuzen Sie an.

FRÜHSTÜCKSKARTE

FRÜHSTÜCK

KLASSIKER
- Kleines Frühstück (1 Brötchen mit Butter und Marmelade) ☐
- Großes Frühstück (Brotkorb mit 2 Brötchen und 1 Scheibe Brot, dazu: Butter, Marmelade, Käse und Schinken) ☐
- Französisches Frühstück (1 Croissant mit Butter und Marmelade) ☐

EXTRAS
- Ei (weich gekocht / hart gekocht) ☐
- Portion Rührei (klein / groß) ☐
- Obstsalat (klein / groß) ☐
- Croissant ☐
- Brötchen (hell / dunkel) ☐

GETRÄNKE
- Kaffee ☐
- Tee (schwarz / grün) ☐
- Milchkaffee (groß / klein) ☐
- Espresso (einfach / doppelt) ☐
- Milch (warm / kalt) ☐
- Orangensaft (frisch gepresst) ☐

b Haben Sie das Richtige bestellt? Überprüfen Sie Ihre Vermutungen.

■ Ich habe dir ein kleines Frühstück bestellt.
▲ Aber ich mag keine Marmelade. Ich möchte lieber …
■ Ich hoffe, du magst Eier. Ich habe dir nämlich auch ein weich gekochtes Ei bestellt.
▲ Oh ja, weich gekochte Eier esse ich gern.

Karaoke | Audiotraining

GRAMMATIK

Adjektivdeklination: indefiniter Artikel

	Nominativ Das ist/sind …	Akkusativ Ich hätte gern …	Dativ mit …
●	ein magerer Schinken	einen mageren Schinken	einem mageren Schinken
●	ein helles Brot	ein helles Brot	einem hellen Brot
●	eine grüne Paprika	eine grüne Paprika	einer grünen Paprika
●	– helle Brötchen	– helle Brötchen	– hellen Brötchen

auch so: kein- / mein- …,
aber: ! Plural: keine/meine hellen Brötchen

KOMMUNIKATION

Einkaufen

Was darf es sein? Kann ich Ihnen helfen?	Ich hätte gern … Ich möchte … Ich brauche …
Möchten Sie lieber … oder …? Meinen Sie … oder …? Soll es … oder … sein? Die sind heute beide im Angebot. Wie viel darf es sein?	Geben Sie mir bitte … Dann nehme ich …
Möchten Sie sonst noch etwas? Darf es noch etwas sein?	Nein, danke. Das ist alles.

Vorlieben äußern

Ich habe dir ein kleines Frühstück / ein weich gekochtes Ei/ … bestellt.	Aber ich mag keine Marmelade. Ich möchte lieber …
Ich hoffe, du magst …	Oh ja, … esse ich gern.

Schaut mal, der schöne Dom! 5

Sprechen: etwas gemeinsam planen: *Wir können ... besichtigen. – Einverstanden.*; etwas berichten: *Danach haben/sind wir ...*

Lesen: Brief, Postkarte, Internet-Eintrag

Schreiben: Postkarte/E-Mail

Wortfeld: Tourismus

Grammatik: Adjektivdeklination nach definitem Artikel: *der berühmte Dom*

1 Stadtbesichtigungen. Notieren Sie Stichwörter und erzählen Sie.

Was interessiert Sie an einer fremden Stadt besonders?
Suchen Sie vor der Reise Informationen zu der Stadt? Wenn ja: wo?

▶1 15 | noch einmal?

2 In Köln: Sehen Sie das Foto an und hören Sie.

Wer möchte was? Oma | Mutter | Tochter

a Die ______________ findet Museen und Kirchen langweilig. Sie macht die Dom-Führung aber doch mit, denn der Reiseführer gefällt ihr.

b Die ______________ möchte den Kölner Dom mit dem neuen Fenster von Gerhard Richter besichtigen.

c Die ______________ hat eine Dom-Führung für die Familie gebucht und hat viele Informationen über den Dom.

geöffnet/offen

geschlossen

● Führung

● Reiseführer

● Reiseführer

● Sehenswürdigkeit

● Tourist

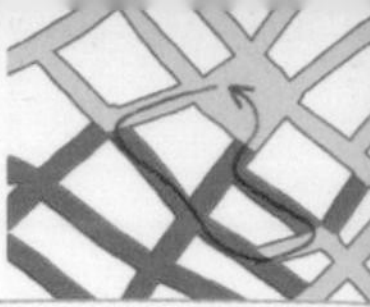
● Rundgang

AB **3** **Arbeiten Sie zu zweit. Sehen Sie das Bildlexikon an und schreiben Sie fünf Sätze wie im Beispiel.**

Tauschen Sie die Sätze mit einem anderen Paar. Ergänzen Sie nun die Wörter. Sehen Sie dabei nicht ins Bildlexikon.

Köln hat viele Sehens_ _ _ _ _ _ _ _ _ _ _ _.
Das Museum ist ab 18.00 Uhr _ _ _ _ _ _ _ _sen.

AB **4** **Viele Grüße aus Köln**

a **Überfliegen Sie die Texte. Wer schreibt was an wen? Ordnen Sie zu.**

Die Oma schreibt	eine Postkarte	an ihren Mann.
Die Mutter schreibt	eine Facebook-Nachricht	an ihre Freundin.
Die Tochter schreibt	einen Brief	an ihren Mann.

b **Richtig oder falsch? Lesen Sie und kreuzen Sie an. Schreiben Sie dann sechs eigene Sätze zu den Texten und tauschen Sie mit Ihrer Partnerin / Ihrem Partner.**

	richtig	falsch
1 Jutta freut sich am meisten auf den Ausflug mit dem Schiff.	○	○
2 Melanie hat Charlottes Kamera im Hotel abgegeben.	○	○
3 Charlotte ärgert sich: Sie hat ihre neue Kamera im Dom vergessen.	○	○

Köln, 22. Juli

Mein lieber Paul,
nun sind wir also im schönen Köln angekommen. Der berühmte Dom ist wirklich sehenswert. Wir haben eine Führung gemacht. Sogar Charlotte hat mitgemacht und dem netten Reiseführer ein Loch in den Bauch gefragt. Das bunte Richter-Fenster hat mir nicht so gut gefallen. Es ist mir zu abstrakt. Besonders gut haben mir das Römisch-Germanische Museum und das Museum Ludwig gefallen. Du siehst: Wir haben schon viele Sehenswürdigkeiten besichtigt. Aber der Höhepunkt wartet noch auf uns: eine Schifffahrt auf dem Rhein! Das wird bestimmt toll. Denn du weißt ja: Eine Rheinfahrt, die ist lustig, eine Rheinfahrt, die ist schön …
Liebe Grüße
Deine Jutta

Lieber Schatz!
Viele Grüße aus „Kölle". Die Stadt ist großartig, die Leute nett, das Wetter wunderbar. Leider hat unsere Tochter gleich am ersten Tag ihre neue Kamera im Dom liegen gelassen. Aber zum Glück hat der nette Reiseführer sie wiedergefunden und im Hotel abgegeben. Ich freue mich auf dich.
1000 Küsse Melanie

Charlotte

Hallo Süße! Bin gerade in Köln und habe den alten Dom besichtigt. Eigentlich langweilig, aber mit diesem Reiseführer ein großer Spaß! Habe die neue Kamera extra im Dom liegen gelassen. Er hat sie gefunden und mir ins Hotel gebracht. Zum Dank habe ich ihn auf eine Cola eingeladen. Wir sind in den besten Club der Stadt gegangen. Das war der schönste Abend der Ferien. Dickes Bussi!
Gestern um 14:32 Antworten

besichtigen ● Prospekt ● Kamera ● Unterkunft ● Trinkgeld ● Geld wechseln ● Schifffahrt

AB **5** **Der berühmte Dom ist wirklich sehenswert.**

interessant?

a ***-e* oder *-en*? Markieren Sie die Adjektive nach definitem Artikel in den Texten in 4 und ergänzen Sie die Tabelle.**

GRAMMATIK

	Nominativ Mir gefällt/gefallen ...			**Akkusativ** Ich finde ... toll			**Dativ** mit ...		
●	der	berühmte	Dom	den	alt___	Dom	dem	nett___	Reiseführer
●	das	bunt___	Fenster	das	bunte	Fenster	dem	bunten	Fenster
●	die	neue	Kamera	die	neu___	Kamera	der	neuen	Kamera
●	die	netten	Leute	die	netten	Leute	den	netten	Leuten

Spiel & Spaß

b **Sie sind als Tourist in Köln. Notieren Sie Ihre Interessen.**

Was gefällt Ihnen?	das alte Rathaus, ...
Was finden Sie uninteressant?	den berühmten Dom
Wo sind Sie am Abend?	in dem schicken Club

Dom – berühmt

Restaurant – deutsch

Club – schick

6 **Adjektiv-Quartett. Arbeiten Sie zu viert auf Seite 82.**

Brauhaus – traditionell

Klosterkirchen – groß

AB **7** **Sie bekommen für ein Wochenende (Samstag/Sonntag) Besuch von einer Freundin / einem Freund.**

Diktat

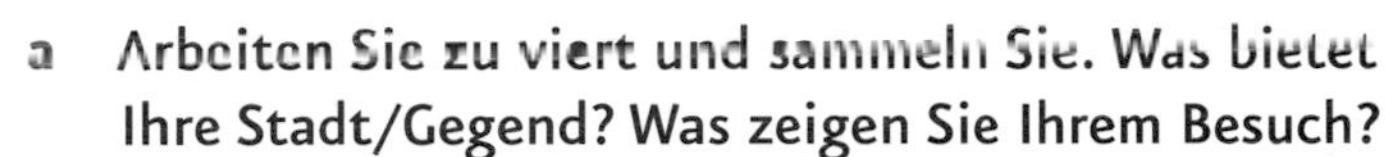

a **Arbeiten Sie zu viert und sammeln Sie. Was bietet Ihre Stadt/Gegend? Was zeigen Sie Ihrem Besuch?**

■ Ich gehe mit meinem Besuch meistens ins Filmmuseum. Da gibt es oft interessante Ausstellungen.
● Ich zeige meinem Besuch immer den alten Kaiserdom. ...

Filmmuseum
der alte Kaiserdom
...

Beruf

b **Was machen Sie wann? Planen Sie nun das Wochenende.**

KOMMUNIKATION

Wollen wir zuerst / danach / am Samstagabend ... besichtigen/ansehen?
Und am Sonntag können wir in/ins ... gehen.
... ist wirklich sehenswert/beeindruckend/toll/...
Das wird bestimmt ...
... gefällt unserem Besuch bestimmt/sicher.
Was denkst du / denkt ihr?

☺	☹
Ja, das ist eine gute Idee.	Das können wir doch später auch noch machen.
Einverstanden.	Wollen wir nicht lieber zuerst/danach/am Abend ...
Ich bin (auch) dafür. Gute Idee!	Ich bin dagegen. / Muss das sein? Das ist doch langweilig.
Ja gut, machen wir es so.	Ich finde das nicht so gut.
Also gut.	

Samstag	Sonntag
Filmmuseum	
...	

c **Präsentieren Sie Ihr Wochenende im Kurs.**

Zuerst gehen wir ins Filmmuseum. Danach ...

SCHREIBTRAINING

AB **8** **Etwas schriftlich vorschlagen**

Comic

Schlagen Sie Ihrer Freundin / Ihrem Freund aus 7 vor, was Sie am Wochenende alles machen können. Schreiben Sie ihr/ihm eine Postkarte oder eine E-Mail. Verwenden Sie Ihre Planung aus 7.

... besichtigen/ansehen | in/ins ... gehen | ... ist wirklich sehenswert/beeindruckend/toll/... | ... gefällt Dir bestimmt/sicher. | Das wird bestimmt ...

Liebe/Lieber ...
ich freue mich schon sehr auf das Wochenende
und ich habe auch schon Pläne gemacht:
Am Samstag können wir zuerst ...
Danach ...
Am Nachmittag ...
Am Abend ...
Und am Sonntag ...
Was denkst Du? Einverstanden?
Oder hast Du andere Wünsche?
Liebe/Viele Grüße

Audiotraining | Karaoke

GRAMMATIK

Adjektivdeklination: definiter Artikel

	Nominativ Mir gefällt / gefallen ...	**Akkusativ** Ich finde ... am besten.	**Dativ** mit ...
•	der berühmte Dom	den alten Dom	dem netten Reiseführer
•	das bunte Fenster	das bunte Fenster	dem bunten Fenster
•	die neue Kamera	die neue Kamera	der neuen Kamera
•	die netten Leute	die netten Leute	den netten Leuten

KOMMUNIKATION

etwas gemeinsam planen

Wollen wir zuerst / danach / am Samstagabend ... besichtigen/ansehen?
Und am Sonntag können wir in/ins ... gehen.
... ist wirklich sehenswert/beeindruckend/toll/...
Das wird bestimmt ...
... gefällt unserem Besuch bestimmt/sicher.
Was denkst du / denkt ihr?

☺
Ja, das ist eine gute Idee. Einverstanden.
Ich bin (auch) dafür. Gute Idee!
Ja gut, machen wir es so.
Also gut.

☹
Das können wir doch später auch noch machen.
Wollen wir nicht lieber zuerst/danach/ am Abend ...
Ich bin dagegen. / Muss das sein? Das ist doch langweilig.
Ich finde das nicht so gut.

etwas berichten

Zuerst gehen wir in/ins ... Danach ...

Meine Lieblingsveranstaltung 6

Hören/Sprechen: etwas vorschlagen / sich verabreden: *Wie wäre es mit ...?*; einen Vorschlag ablehnen: *Das ist keine so gute Idee.*; zustimmen / sich einigen: *Aber gern.*

Lesen: Leserbeiträge

Schreiben: Veranstaltungskalender

Wortfeld: Veranstaltungen

Grammatik: temporale Präpositionen: *über 30 Jahre, von morgen an, ...*

1 Sehen Sie das Foto an. Welche Wörter passen?
Notieren Sie in drei Minuten so viele Begriffe wie möglich. Vergleichen Sie dann im Kurs.

Kostüm, Feuer ...

▶ 1 16 **2 Sehen Sie das Foto an und hören Sie.**
Was für ein Fest ist das? Was meinen Sie?

○ ein Theaterfestival
○ ein Karnevalsfest
○ ein Mittelalterfest

• Eintritt • Eintrittskarte • Ermäßigung • Künstler • Star • Bühne • Veranstaltung • Kunst

AB

3 Tolle Events in Deutschland, Österreich und in der Schweiz

a Überfliegen Sie die Leserbeiträge. Zu welcher Veranstaltung passt das Foto auf Seite 33?

Spiel & Spaß

b Lesen Sie noch einmal und notieren Sie Stichwörter zu den Fragen. Hilfe finden Sie im Bildlexikon.

	A	B	C	D
1 Was für eine Veranstaltung ist das?	Hip-Hop-Fest			
2 Was kann man auf der Veranstaltung erleben/sehen/machen?				
3 War die Leserin / der Leser schon dort?				

Tolle Events in Deutschland, Österreich und in der Schweiz
Leserinnen und Leser stellen ihre Lieblingsveranstaltungen im Sommer vor

A OPEN AIR FRAUENFELD

Vom 8. bis zum 10. Juli bin ich auf dem Open Air Frauenfeld. Das ist das größte Hip-Hop-Fest in Europa. Es findet seit 1985 jedes Jahr im Sommer statt. Ich bin schon dreimal dort gewesen und habe viele tolle Konzerte erlebt. Mit deutschsprachigen Künstlern wie Jan Delay, Culcha Candela oder Die Fantastischen Vier. Aber auch mit internationalen Stars wie Eminem, Ice Cube und 50 Cent. Letztes Jahr waren 150.000 Leute da. Mal sehen, wie viele es dieses Jahr werden.

B KIELER WOCHE

Nächste Woche fahre ich nach Kiel. Von morgen an findet dort die berühmte Kieler Woche statt. Das ist eines der größten Segelsport-Events weltweit. Aber neben dem Segeln steht auch die Musik im Mittelpunkt, mit 300 Konzerten auf 16 Bühnen. Die Veranstaltung dauert zehn Tage. Am vorletzten Tag ist immer die berühmte Windjammerparade. Da sind mehr als hundert große Segelschiffe und ganz viele kleinere Yachten auf dem Meer! Das möchte ich schon seit Jahren mal sehen.

C ARS ELECTRONICA

Die Ars Electronica ist das weltweit wichtigste Festival für digitale Kunst. Sie findet seit 1979 jedes Jahr in Linz statt, dieses Jahr vom 31. August bis zum 6. September. Es gibt viele Ausstellungen, Konzerte, Performances, Vorträge und Diskussionsrunden. Ich gehe seit zehn Jahren fast jedes Jahr hin. Mich fasziniert die Verbindung von Wissenschaft, Technik, Musik, Video, Computeranimation und so weiter. Experten und Interessierte aus der ganzen Welt stellen hier Zukunftsfragen und diskutieren Zukunftsprobleme. Das finde ich sehr spannend.

D LANDSHUTER HOCHZEIT

Ich liebe historische Feste, mit Musik, Tanz und Originalkostümen. Besonders schön ist die Landshuter Hochzeit. In Landshut hat die polnische Königstochter Hedwig 1475 den bayerischen Herzog Georg geheiratet. Die Hochzeitsfeier hat sechs Tage lang gedauert und war eine der größten und schönsten im ganzen Mittelalter. Alle vier Jahre spielen die Landshuter sie mit 2000 Darstellern nach. Zum letzten Mal habe ich die Landshuter Hochzeit als Jugendlicher gesehen. Das ist nun schon über 30 Jahre her.

interessant?

c Welche Veranstaltung würde Sie interessieren? Erzählen Sie.

AB **4 Das möchte ich schon seit Jahren mal sehen.**

Beruf

a **Markieren Sie *von … bis, von … an, über* und *seit* in den Leserbeiträgen in 3 und ergänzen Sie.**

GRAMMATIK

Wie lange?
X ————————————► X
_______ 8. _______ zum 10. Juli

Ab wann?
O ——— X ————————► X
jetzt Beginn
_______ morgen _______
vom 1. Januar an

Seit wann?
X ————————————► X
Vergangenheit jetzt
_______ 1979 / Juli

Wie lange?
(——————)
= länger / mehr als / _______ 30 Jahre

b **Nach Zeiträumen fragen. Arbeiten Sie zu viert: Paar A arbeitet auf Seite 84, Paar B auf Seite 86.**

▶ 1 17–18 **5 Okay, das machen wir!**

a **Zu welcher Veranstaltung aus 3 wollen Tim und Ludmilla? Hören Sie und ergänzen Sie.**

1 Tim will zum ______________________. 2 Ludmilla will zur ______________________.

noch einmal?

b **Was ist richtig? Hören Sie noch einmal und kreuzen Sie an.**

1 Tim und Anja brauchen noch zwei Eintrittskarten. ○
2 Sylvie fährt nicht mit in die Schweiz. ○
3 Anja kommt mit in die Schweiz. ○
4 Ludmilla und Britta können bei Laura übernachten. ○
5 Als Student muss man nur 45 Euro zahlen. ○
6 Ludmilla und Britta sprechen später noch einmal. ○

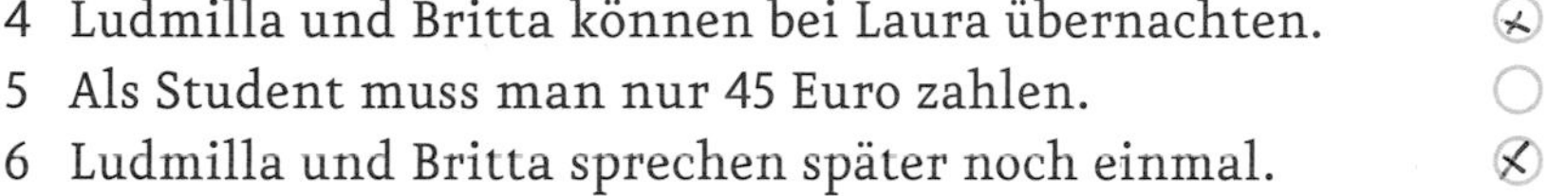

AB **6 Möchtest du vielleicht mitkommen?**

a **Ordnen Sie die Sätze zu.**

Möchtest du vielleicht mitkommen? | Was hältst du davon? | Wollen wir noch einen Treffpunkt ausmachen? | Hast du am … Zeit? | Ja, gut dann treffen wir uns um … am … | Okay, das machen wir. | Lass uns doch … | Wie wäre es mit …? | Ja okay, das passt auch. | Darf ich etwas vorschlagen? | Geht es bei dir am/um …? | Sehr nett, aber da kann ich leider nicht. | Also, ich weiß nicht. Das finde ich nicht so interessant. | Aber gern. | Das ist keine so gute Idee. Ich würde lieber … | Willst du zu/zum/zur … mitkommen? Du hast doch gesagt, das würde dich interessieren.

etwas vorschlagen / sich verabreden	einen Vorschlag ablehnen	zustimmen / sich einigen
Was hältst du davon? Wollen wir noch einen Treffpunkt …?		

b **Sich verabreden. Arbeiten Sie zu zweit auf Seite 85.**

6 MINI-PROJEKT

AB **7** **Meine Lieblingsveranstaltung**

a **Machen Sie Notizen zu den Fragen. Hilfe finden Sie im Bildlexikon.**

1 Was ist Ihre Lieblingsveranstaltung?
2 Was kann man auf der Veranstaltung erleben/sehen/machen/...?
3 Wann findet die Veranstaltung statt?
4 Seit wann gibt es die Veranstaltung?
5 Wie oft waren Sie schon dort?
6 Was gefällt Ihnen besonders gut?

Diktat

b **Schreiben Sie einen Text und machen Sie einen Veranstaltungskalender im Kurs.**

Meine Lieblingsveranstaltung ist ... | Das ist ... | Es/Er/Sie ... findet seit ... jedes Jahr / alle vier Jahr im ... in ... statt. | Dieses Jahr bin ich / fahre ich vom ... bis zum ... nach ... | Es gibt viele ... und ... | Ich war letztes Jahr das erste Mal dort/ da / ... | Am besten gefällt mir ... / Sehr spannend/ interessant finde ich ...

Audiotraining | Karaoke

GRAMMATIK

temporale Präpositionen *von ... an, von ... bis, seit* + Dativ

Ab wann? ○—✕—►✕	Wie lange? ✕———►✕
von morgen an	vom 8. bis zum 10. Juli
vom 1. Januar an	seit 1985

		Wie lange? ✕———►✕
●	seit	einem Monat
●		einem Jahr
●		einer Stunde
●		zwei Jahren

temporale Präposition *über* + Akkusativ

		Wie lange? (———)
●	über	einen Monat
●		ein Jahr
●		eine Stunde
●		30 Jahre

KOMMUNIKATION

etwas vorschlagen / sich verabreden

Möchtest du vielleicht mitkommen?
Was hältst du davon?
Lass uns doch ...
Darf ich etwas vorschlagen?
Willst du zu/zum/zur ... mitkommen? Du hast doch gesagt, das würde dich interessieren.
Hast du am ... Zeit?
Wie wäre es mit ...?
Geht es bei dir am/um ...?
Wollen wir noch einen Treffpunkt ausmachen?
Ja gut, dann treffen wir uns um ... am ...

einen Vorschlag ablehnen

Sehr nett, aber da kann ich leider nicht.
Das ist keine so gute Idee. Ich würde lieber ...
Also, ich weiß nicht. Das finde ich nicht so interessant.

zustimmen / sich einigen

Aber gern.
Okay, das machen wir.
Ja okay, das passt auch.

PRINZESSINNENGÄRTEN

die *Grüne Revolution* oder *Gärtnern in der Stadt*

Spinat wächst nicht in Würfeln. Das weiß Marlene, seit sie im Prinzessinnengarten war. Denn der Prinzessinnengarten ist kein Schlosspark, sondern ein Gemüsegarten. Mitten in der Stadt. Genauer: in Berlin-Kreuzberg.

2009 fängt alles an. Über 100 Nachbarn und Freunde treffen sich auf dem leeren Grundstück an der Prinzessinnenstraße. Sie räumen auf und machen aus dem Gelände einen ökologischen Nutzgarten mit 100 Beeten.

Seit 2010 gibt es auch einen Kartoffelacker, noch mehr Beete und ein Tomatenhaus. Das Konzept ist einfach: Jeder kann mitmachen. Niemand hat sein eigenes Beet. Alle arbeiten gemeinsam am Projekt.

Das Arbeiten und Leben mit den vier Jahreszeiten bringt Ruhe in die laute Stadt. Das gefällt nicht nur den Nachbarn. Immer mehr Touristen besuchen die kleine Oase in Kreuzberg. Das Gemüse in Bio-Qualität kann jeder ernten und kaufen. Oder essen – im eigenen Gartencafé. Auf der Speisekarte stehen so leckere Gerichte wie Gartenpizza mit frischen Kräutern aus den Beeten oder Kürbisrisotto.

Kinder lernen, wie gut Gemüse schmeckt, wenn es nicht aus dem Supermarkt kommt. Und jeder Euro fließt zurück ins Projekt.

Alle Pflanzen im Prinzessinnengarten wachsen in Kisten, Säcken oder alten Milchtüten. So kann man die Beete im Notfall transportieren. Das ist wichtig, denn die Zukunft urbaner Gärten ist oft ungewiss. Umzug nicht ausgeschlossen. Erst machen die Gärten aus grauen Stadtvierteln lebenswerte Orte. Dann steigen die Grundstückspreise und die Stadt kann das Gelände teuer verkaufen. Ein Teufelskreis.

Aber egal ob hier oder anderswo: Die Idee des gemeinsamen Gärtnerns bleibt. Damit Kinder wie Marlene Spinat nicht nur tiefgefroren kennen.

1 Was ist richtig? Lesen Sie den Text und kreuzen Sie an.

a Der Prinzessinnengarten ist ein ○ Schlosspark. ○ Gemüsegarten.
b Alle können ○ ein eigenes Beet kaufen. ○ in dem Garten mitarbeiten.
c ○ Alle Menschen ○ Nur Touristen können das Bio-Gemüse ernten und kaufen.
d In dem Garten gibt es auch ○ ein Café. ○ einen Supermarkt.
e Das Grundstück gehört ○ der Stadt. ○ dem Projekt.
f Der Prinzessinnengarten muss ○ vielleicht ○ sicher umziehen.

2 Und Sie? Gärtnern Sie auch? Erzählen Sie.

▶ Clip 2 **1** **In München**

a **Sehen Sie den Anfang des Films ohne Ton (bis 0:57). Was sehen Sie auf dem Spaziergang von Melanie und Lena? Kreuzen Sie an.**

○ Park | ○ Gebäude |
○ Geschäfte | ○ Brunnen |
○ Kirche | ○ Markt |
○ Bahnhof | ☒ Oper/Theater

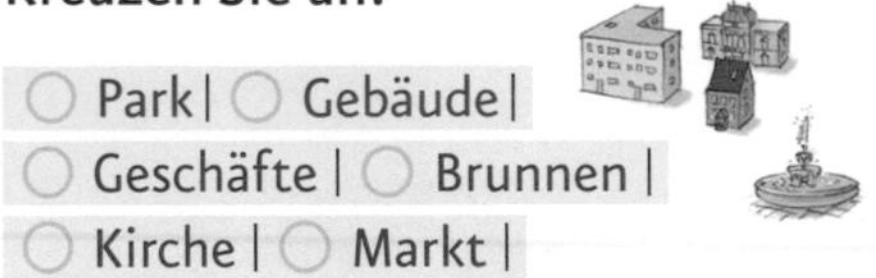

b **Was ist richtig? Sehen Sie den ersten Teil des Films (bis 2:04) nun mit Ton und kreuzen Sie an.**

1 Lena gefallen in München besonders
○ die Museen. ○ die Festivals im Sommer.
2 Vor ihrer Heirat ist Lena oft
○ ins Theater ○ in die Oper gegangen.
3 Lena gefällt klassische Musik
○ nicht besonders. ○ sehr gut.
4 Melanie und Lena wollen am
○ Donnerstag ○ Freitag gemeinsam in die Oper gehen.
5 Nach dem Stadtrundgang
○ trinken die beiden Frauen einen Kaffee. ○ gehen die beiden einkaufen.

▶ Clip 2 **2** **Auf dem Markt**

a **Sehen Sie den Film weiter (ab 2:05) und markieren Sie. Was kauft Lena?**

Äpfel | Tomaten | Zucchini | rote Paprika | grüne Paprika | gelbe Paprika | Pfirsiche | Nektarinen | Erdbeeren | Blumen | Fisch | Käse | Salat

b **Warum kauft Lena so viel ein?**

c **Und Sie? Wann hatten Sie zuletzt Gäste zum Essen? Was haben Sie eingekauft? Erzählen Sie.**

Am Freitag vor zwei Wochen hatte ich zwei Freunde zu Besuch. Wir haben gemeinsam Pizza gemacht. Dafür habe ich ... gekauft.

1 Willkommen in Wien: Lesen Sie und ordnen Sie die Fotos zu.

» Willkommen in Wien!

Sehenswürdigkeiten & Museen

1 

2 

3 

Unser Top-Tipp:
Besuchen Sie Schloss Schönbrunn. Hier hat Kaiserin Sisi im Sommer gewohnt. In Schönbrunn finden Sie neben dem barocken Schloss eine wundervolle Parklandschaft und den ältesten Tiergarten der Welt.

○ Schloss Schönbrunn ist aus dem Jahr 1642. 1830 wird Kaiser Franz Joseph in dem Schloss geboren. Mit seiner Frau Sisi hat der Kaiser im Sommer hier gewohnt. Heute gehört das Schloss zum Unesco-Weltkulturerbe. Es hat 1441 Räume, davon können Besucher 45 Räume besichtigen.

Kaiserin Sisi

○ Im wundervollen Park Schönbrunn spazieren Sie durch lange Alleen. Hier finden Sie neben Statuen und Brunnen viele prächtige Blumenbeete. Besuchen Sie das Palmenhaus oder den Irrgarten.
Tipp: Wer die Parklandschaft Schönbrunn nicht zu Fuß besichtigen möchte, steigt am besten in die Panoramabahn.

○ Den Tiergarten Schönbrunn gibt es seit 1752. Heute ist er einer der modernsten und besten Zoos mit mehr als 500 Tierarten. Der Zoo wächst jedes Jahr, hat aber auch heute noch historischen Charme.

2 Unser Top-Tipp in Wien

a Arbeiten Sie zu dritt und wählen Sie eine Wiener Sehenswürdigkeit. Sammeln Sie Informationen und Bilder und machen Sie Notizen zu den Fragen.

1 Seit wann gibt es die Sehenswürdigkeit?
2 Was hat man dort früher gemacht? Oder: Was kann man dort heute machen?

b Schreiben Sie einen Text wie in 1 und präsentieren Sie Ihren Top-Tipp im Kurs.

KOMMUNIKATION

Unser Top-Tipp ist ...
Schloss Schönbrunn/... gibt es seit / ist aus dem Jahr ...
Früher hat ... dort gewohnt / war dort ...
Heute kann man ... besichtigen.
Besuchen Sie / Besucht ...
Hier finden Sie / findet ihr ...
Das Schloss / ... gehört heute zu ...
Der Tiergarten / ... ist heute ...

UNSER TOP-TIPP!
Besuchen Sie die Hofburg. Hier ...

Die superschnelle Stadtrundfahrt

Hallo, meine sehr geehrten Damen und Herren.
Mein Name ist Carolina Barth.
Ist das nicht ein ____________ heute?
Perfekt für eine ____________!

Sehen Sie mal, da drüben: das ____________,
gebaut im Jahr neunzehnhundertzehn.
Und jetzt fahren wir über die ____________.
Sie ist ganz aus Stein und wunderschön.

REFRAIN

Das ist die superschnelle Stadtrundfahrt,
Sie dauert insgesamt nur zwei Minuten zehn.
Am Ende haben Sie eine volle Stunde gespart
und alle Sehenswürdigkeiten gesehen.

Hier vorne kommt jetzt ein wichtiger Platz,
1804 ist nämlich Goethe hier gewesen.
Sehen Sie mal da drüben: das ____________.
Dort hat er eine ____________ gegessen.

Die ____________ rechts, das ist der Dom,
dann ein hübscher ____________ und etwas links davon
ein ____________, ein ____________:
Beethoven ist's, der junge Ludwig van.

▶1 19 **1 Ergänzen Sie den Liedtext. Hören Sie dann und vergleichen Sie.**

alte Brücke | große Kirche | heiße Wurst | interessantes Denkmal | kleiner Park | kleine Restaurant | neue Rathaus | superschnelle Stadtrundfahrt | weltberühmter Mann | ~~wichtiger Platz~~ | wunderbares Wetter

▶1 19 **2 Spielen Sie die Situation mit. Hören Sie dabei das Lied.**

3 Eine superschnelle Stadtrundfahrt in Ihrer Stadt / in einer Stadt Ihrer Wahl
Welche Sehenswürdigkeiten würden Sie zeigen?

das Kloster, ...

Wir könnten montags joggen gehen. 7

Hören/Sprechen: um Rat bitten: *Welche Sportart sollte ich machen?*; Ratschläge geben / Vorschläge machen: *Wir könnten montags joggen gehen.*

Lesen: Fitness- und Ernährungsplan

Schreiben: Forumsbeitrag

Wortfeld: Sportarten

Grammatik: Konjunktiv II: *könnte, sollte*; temporale Präposition *zwischen*; temporale Adverbien: *montags*

1 Sehen Sie das Foto an und antworten Sie. Was meinen Sie?

Wer sind die Personen? Warum laufen sie zusammen?

▶ 1 20 **2 Sehen Sie das Foto an und hören Sie. Was ist richtig?**

	DER MANN	DIE FRAU	
a	◯	◯	möchte abnehmen.
b	◯	◯	arbeitet als Trainer/-in.
c	◯	◯	meint: zwei Kilometer sind nicht so viel.
d	◯	◯	braucht eine Pause.

Basketball | Volleyball | Handball | Gewichtheben | Fitnesstraining | Judo | Badminton

▶ 1 21
AB

3 Wann fangen wir an?

a Was ist richtig? Hören Sie und kreuzen Sie an.

Herr Peters …

… möchte circa ◯ 8 Kilo ◯ 4 Kilo weniger wiegen.
… möchte sich ◯ zwischen sieben und Viertel nach sieben ◯ nicht so früh zum Schwimmen treffen.
… isst abends gern ◯ Nudeln. ◯ Fleisch.
… möchte ◯ sofort ◯ später einen Termin vereinbaren.
… möchte ◯ mit Amelie trainieren. ◯ von Amelie ein Buch leihen.
… möchte lieber ◯ im Schlaf ◯ beim Sport abnehmen.

GRAMMATIK
abends = jeden Abend
auch so: nachts, morgens … / montags, dienstags …

GRAMMATIK
Wann?
zwischen 7:00 und 7:15 Uhr

noch einmal?

b Was schlägt die Trainerin vor? Hören Sie noch einmal und ergänzen Sie den Fitnessplan.

Fitness- und Ernährungsplan Herr Peters:

	Montag	Dienstag	Mittwoch	Donnerstag	Freitag
vormittags Sport					Aqua-Fitness
Mittagessen	Salat mit Hühnchenbrust	Spinat mit Spiegelei	Kartoffelsuppe	Quark mit Kartoffeln	gekochtes Gemüse mit Reis
Abendessen	Gemüsesuppe	Paprikagemüse	Tomatensalat	Zwiebelsuppe	Rinderfilet

Wichtig: Das Training sollte regelmäßig und immer zur selben Zeit stattfinden.
Ausruhen nicht vergessen.
Auf gesunde Ernährung achten.
Zwischen 20 Uhr und 6 Uhr sollten Sie nichts essen.
Das Training sollte Spaß machen! ☺

GRAMMATIK
Vorschläge und Ratschläge

ich	könnte	sollte
er/sie	könnte	sollte
wir	könnten	sollten

Spiel & Spaß

c Ordnen Sie zu.

a Okay, dann sollten wir mal — über Ihren Fitnessplan sprechen.
b Wir könnten montags und mittwochs
c Dienstags und donnerstags könnten
d Und abends sollten

Sie keine Kohlenhydrate mehr essen.
wir schwimmen gehen.
über Ihren Fitnessplan sprechen.
joggen gehen.

4 Was sollte Herr Peters machen?

a Welche Ratschläge gibt die Trainerin? Sprechen Sie über den Fitnessplan in 3b.

■ Die Trainerin sagt, Herr Peters sollte montags und mittwochs …
● Ja, und am Montagabend sollte er … essen.

Yoga | Golf | Gymnastik | Tischtennis | Eishockey | Walken | Aqua-Fitness | Rudern

b Welche Vorschläge haben Sie?

■ Herr Peters könnte abends auch noch Sport machen.
▲ Außerdem könnte er am Wochenende …

AB Spiel & Spaß

5 Sportarten raten

Sehen Sie das Bildlexikon zwei Minuten lang an. Schließen Sie dann Ihr Buch. Spielen Sie eine Sportart pantomimisch vor. Die anderen raten.

■ Meinst du Tischtennis?
● Nein.
▲ Oder Badminton?
■ Ja, genau.

AB interessant?

6 Was für ein Sporttyp sind Sie?

a Kreuzen Sie an und ergänzen Sie den Fragebogen.

MEIN SPORTPROFIL	stimmt	stimmt nicht
Ich bin groß.	○	○
Ich bin schnell.	○	○
Ich bin gern an der frischen Luft.	○	○
Ich mache gern allein Sport.	○	○
Ich mache gern im Verein mit anderen zusammen Sport.	○	○
Ich bin zeitlich flexibel.	○	○
Ich habe nur wenig Zeit.	○	○
Ich möchte etwas für meine Gesundheit tun.	○	○
Ich möchte an Wettkämpfen teilnehmen.	○	○
Ich möchte Spaß haben.	○	○
______	○	○
______	○	○
______	○	○

Diktat

b Erzählen Sie Ihrer Partnerin / Ihrem Partner von Ihrem Sportprofil. Welche Sportart kann sie/er Ihnen empfehlen?

■ Ich bin nicht besonders groß und nicht sehr schnell. Am liebsten bin ich an der frischen Luft und … Welche Sportart würdest du mir empfehlen?
● Du könntest rudern. Dann bist du draußen an der frischen Luft.

KOMMUNIKATION

Welche Sportart sollte ich machen / würdest du mir empfehlen / passt zu mir?
Ich möchte gern Sport machen. Hast du einen Tipp für mich?
Mach doch …! / Du solltest … / Du könntest auch … / An deiner Stelle würde ich … / Wie wäre es mit …?

7 Forum – Abnehmen: Geben Sie Ratschläge.

Arbeiten Sie zu zweit auf Seite 87.

SPRECHTRAINING

AB **8** **Der innere Schweinehund**

a **Was nehmen Sie sich immer wieder vor und schaffen es nicht? Notieren Sie.**

Mein innerer Schweinehund
weniger Computerspiele spielen
immer sofort abwaschen
mehr Fahrrad fahren
meine Post immer gleich öffnen und bearbeiten

b **Arbeiten Sie zu viert und vergleichen Sie.**
Welche Gemeinsamkeiten und Unterschiede gibt es?

■ Ich würde gern mehr Fahrrad fahren. Das macht fit und ist gesund.
▲ Ja, das stimmt. Ich fahre jeden Tag Fahrrad.
● Ich fahre nur selten Fahrrad. Ich laufe lieber oder nehme den Bus.

Audiotraining | Karaoke

GRAMMATIK

temporale Adverbien

abend**s** = jeden Abend
auch so: nachts, morgens, ... montags, dienstags, ...

temporale Präposition *zwischen* + Dativ

Wann?
zwischen 7:00 und 7:15 Uhr

Vorschläge und Ratschläge: Konjunktiv II von *können, sollen*

	können	sollen
ich	könnte	sollte
du	könntest	solltest
er/es/sie	könnte	sollte
wir	könnten	sollten
ihr	könntet	solltet
sie/Sie	könnten	sollten

KOMMUNIKATION

um Rat bitten

Welche Sportart sollte ich machen / würdest du mir empfehlen / passt zu mir?

Ich möchte gern Sport machen. Hast du einen Tipp für mich?

Ratschläge geben / Vorschläge machen

Und abends sollten Sie keine Kohlenhydrate mehr essen.

Er/Sie sollte / Du solltest ...

Er/Sie könnte / Du könntest aber auch ...

An seiner/ihrer/deiner Stelle würde ich ...

Mach doch ...!

Wir könnten montags und mittwochs joggen gehen.

Wie wäre es mit ...?

Hoffentlich ist es nicht das Herz! 8

1 Es muss nicht der Magen sein.

▶1 22 **a** Sehen Sie das Foto an und hören Sie. Wer denkt was? Ordnen Sie zu.

Dr. Watzek

Frau Brudler

Das ist ein schwerer Notfall.

Das ist sicher nicht so schlimm.

Das ist vielleicht ein Herzinfarkt.

b Geht Frau Brudler oft zum Arzt? Ist sie wirklich krank? Was meinen Sie?

Sprechen: Mitleid ausdrücken: *Oh, das tut mir echt leid.*; Sorge ausdrücken: *Ich habe Angst vor Herzkrankheiten.*; Hoffnung ausdrücken: *Ich hoffe, es ist alles in Ordnung.*

Lesen: Forumstext

Wortfelder: Krankheit, Unfall

Grammatik: Konjunktionen *weil, deshalb*

2 Und Sie? Erzählen Sie.

Wie oft gehen Sie zum Arzt? Suchen Sie Informationen zu Krankheiten im Internet?

● Krankenwagen

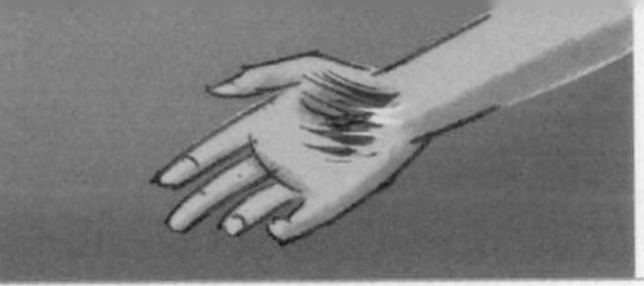
verletzen / ● Verletzung

● Unfall

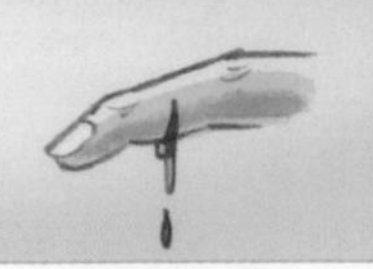
bluten / ● Blut

● Notarzt

AB **3** **Wer kann mir helfen?**

a Wie heißen die Personen? Überfliegen Sie den Forumstext und notieren Sie die Namen.

1 Der Nickname von Frau Brudler ist __________. Sie macht sich große Sorgen.
2 __________ glaubt: „Frau Brudler hat keine schlimme Krankheit."
3 __________ kann Frau Brudler gut verstehen. Sie/Er vertraut Ärzten auch nicht.

Vorsicht! Es kann auch das Herz sein!
Haben Sie oft mal ein Druckgefühl oder sogar Schmerzen in der linken oberen Bauchgegend? Die meisten Menschen denken dabei zuerst an ein Problem mit dem Magen. Aber Achtung! Verschiedene Herzkrankheiten haben fast die gleichen Symptome, deshalb raten wir Ihnen: Gehen Sie sofort zum Arzt. Warten Sie nicht zu lange, weil gerade bei manchen Herzerkrankungen jede Minute wichtig ist.

Wer kann mir helfen? Bei mir ist es genau so. Da ist immer wieder so ein komisches Druckgefühl. Ich habe total Angst vor Herzkrankheiten, weil man daran so schnell sterben kann. carlotta123

@ carlotta123 Oh, das tut mir echt leid. Hoffentlich hast du nichts Schlimmes! Warst du denn schon beim Arzt mit deinem Problem? SEELENPEIN

@ SEELENPEIN *Ich war heute bei meinem Hausarzt in der Sprechstunde. Die Untersuchung hat nur fünf Minuten gedauert. Mein Herz ist völlig in Ordnung, hat er gesagt. Aber ich glaube ihm nicht. Er will mir nur nichts sagen, weil meine Krankheit so schlimm ist.* carlotta123

@ carlotta123 Ich finde es total traurig, dass die Ärzte einem nie die Wahrheit sagen. Deshalb gehe ich auch gar nicht mehr hin. SEELENPEIN

@ carlotta123 Du hast Probleme, weil du zu viel auf deinen Körper hörst. Du musst deinem Hausarzt glauben. Und denk doch nicht dauernd an Krankheiten! Dann hört das mit deinem Bauch ganz von selbst wieder auf. billi-rubin

b Lesen Sie noch einmal und korrigieren Sie die Sätze.

1 carlotta123 glaubt, sie hat Probleme mit dem ~~Magen~~. Herz
2 Der Hausarzt hat Carlottas Herz lange untersucht. __________
3 Der Arzt meint, Carlottas Herz ist nicht gesund. __________
4 billi-rubin meint, carlotta123 sollte ihrem Körper glauben. __________

c Notieren Sie Wörter aus dem Text zu den Begriffen *Krankheit/Gesundheit* und *Körper*. Vergleichen Sie mit Ihrer Partnerin / Ihrem Partner. Haben Sie die gleichen Wörter gefunden?

Krankheit/Gesundheit: sterben, … Körper:

AB **4** **Du hast Probleme, weil du zu viel auf deinen Körper hörst.**

a *weil* oder *deshalb*? Lesen Sie noch einmal und ergänzen Sie.

GRAMMATIK

Er will mir nur nichts sagen, __________ meine Krankheit so schlimm ist.
Ärzte sagen nicht die Wahrheit. __________ gehe ich nicht mehr hin.

Wo steht das Verb?	Position 1	Position 2	Satzende
In *deshalb*-Sätzen	○	○	○
In *weil*-Sätzen	○	○	○

● Krankenhaus

● Notaufnahme

untersuchen / ● Untersuchung

operieren / ● Operation

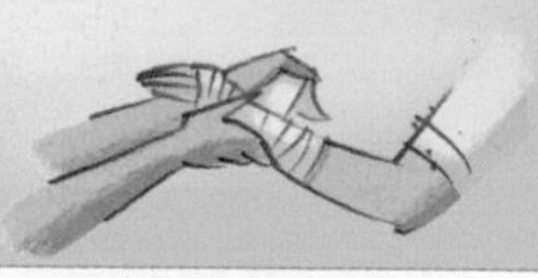
verbinden / ● Verband

Spiel & Spaß

b **Ergänzen Sie *weil* oder *deshalb*. Schreiben Sie dann zu zweit zwei eigene Sätze mit einer Lücke für *weil/deshalb*. Verwenden Sie dabei Wörter aus 3c und dem Bildlexikon. Tauschen Sie die Sätze mit einem anderen Paar.**

1 Frau Winkler kommt morgen nicht zur Arbeit, ____________ sie Magenschmerzen hat.
2 Mein Hausarzt hat am Mittwochnachmittag keine Sprechstunde, ____________ muss ich bis morgen warten.

AB

Beruf

5 Gründe angeben: Ich kann heute nicht zur Arbeit kommen, weil ich Fieber habe.

Arbeiten Sie zu viert auf Seite 88.

AB

6 Was ist los?

a **Was passt? Ordnen Sie zu. Hilfe finden Sie auch im Forumstext in 3a.**

Sorge/Hoffnung/Mitleid ausdrücken:

Was ist	es ist alles in Ordnung.
Ist alles	Herzkrankheiten.
Ich habe Angst vor	aber traurig.
Hoffentlich	los?
Ich hoffe,	in Ordnung?
Das finde ich	wirklich sehr/echt leid.
Oh, das tut mir	hast du nichts Schlimmes!

b **Lesen Sie das Gespräch zu zweit laut vor.**

Partner A / **Partner B**

■ Was ist los? / Ist alles in Ordnung?

▲ Ich habe so schlimme Schmerzen im Knie / …

■ Oh, das tut mir wirklich sehr leid! Warst du schon beim Arzt?

▲ Nein, noch nicht. Hoffentlich muss ich nicht ins Krankenhaus / …! Ich habe Angst vor Krankenhäusern / …

■ Hoffentlich hast du nichts Schlimmes! / Ich hoffe, es ist alles in Ordnung!

Comic

c **Spielen Sie das Gespräch jetzt mit neuen Situationen nach.**

Situation 1

Sie haben Zahnschmerzen.
Sie müssen zum Zahnarzt.
Sie haben Angst vor dem Zahnarzt.

Situation 2

Sie haben Magenschmerzen.
Sie müssen ins Krankenhaus.
Sie haben Angst vor Operationen.

SCHREIBTRAINING

AB **7 Gestern hatte ich einen Unfall.**

Spiel & Spaß

a Ergänzen Sie die fehlenden Wörter. Hilfe finden Sie im Bildlexikon.

Gestern hatte ich einen U _ _ _ _ _ mit dem Fahrrad. Eine Frau hat den K _ _ _ _ _ _ _ _ _ _ _ _ _ gerufen, weil meine Hand v _ _ _ _ _ _ _ _ war. Sie hat stark geblutet. Der Notarzt hat gemeint, dass ich ins K _ _ _ _ _ _ _ _ _ _ muss. In der Notaufnahme hat man meine Hand u _ _ _ _ _ _ _ _ _ _ . Es war gar nicht schlimm. Ich habe einen V _ _ _ _ _ _ bekommen und bin dann mit dem Taxi nach Hause gefahren. Nur meinem Fahrrad geht es leider immer noch nicht gut.

Diktat

b Schreiben Sie zu dritt eine Geschichte wie in a.

Straße | Katze | Krankenhaus | Angst haben | Unfall | hoffen | bluten | Notarzt | hinfallen | untersuchen | Notaufnahme | verletzen | Operation | Vogel

- Person 1 schreibt ein bis drei Sätze und verwendet mindestens ein Wort aus dem Kasten. Sie/Er gibt die Sätze an Person 2 weiter.
- Person 2 schreibt auch ein bis drei Sätze und verwendet mindestens ein Wort aus dem Kasten.
- Dann ist Person 3 an der Reihe usw.
- Haben Sie alle Wörter aus dem Kasten verwendet? Dann ist Ihre Geschichte fertig.

Gestern hatte ich einen Unfall. ...

Audiotraining | Karaoke

GRAMMATIK

Konjunktionen: Gründe ausdrücken

Hauptsatz + Nebensatz: *weil*

Folge	Grund		
Er will mir nur nichts sagen,	weil	meine Krankheit so schlimm	ist.
Du hast Probleme,	weil	du so viel auf deinen Körper	hörst.

Hauptsatz + Hauptsatz: *deshalb*

Grund	Folge	
Meine Krankheit ist so schlimm.	Deshalb	will er mir nichts sagen.
Du hörst so viel auf deinen Körper.	Deshalb	hast du Probleme.

KOMMUNIKATION

Sorge ausdrücken

Was ist los?
Ist alles in Ordnung?
Ich habe Angst vor Herzkrankheiten/...
Hoffentlich muss ich nicht ins Krankenhaus / zum Zahnarzt ...

Mitleid ausdrücken

Das finde ich aber traurig.
Oh, das tut mir wirklich sehr / echt leid.

Hoffnung ausdrücken

Hoffentlich hast du nichts Schlimmes!
Ich hoffe, es ist alles in Ordnung.

Bei guten Autos sind wir ganz vorn. 9

Sprechen: Wichtigkeit ausdrücken: *Wie wichtig ist dir das?*

Lesen: Bericht über einen Dokumentarfilm

Wortfeld: Arbeitsleben

Grammatik: Adjektivdeklination nach Nullartikel: *flexible Arbeitszeit*

▶ 1 23 **1 Was ist richtig? Sehen Sie das Foto an, hören Sie und kreuzen Sie an.**

a Alfons Beierl ◯ arbeitet bei Audi in Ingolstadt.
◯ wohnt in Ingolstadt und fährt einen Audi.

b 1977 hat er ◯ seinen ersten Audi gekauft.
◯ an seinem ersten Audi gearbeitet.

c Der Audi 80 ist ◯ ein sehr erfolgreicher Wagen.
◯ nicht so wichtig für Audi.

2 Finden Sie Autos interessant?
Haben Sie ein Auto? Erzählen Sie.

Ich finde Autos überhaupt nicht interessant. ...

● Arbeiter

●/● Angestellte

● Import

● Export

● Lager

AB **3** **Was passt? Sehen Sie ins Bildlexikon und ergänzen Sie.**

Spiel & Spaß

Werk
Produktion
Fließband

AB **4** **Mensch und Maschine**

a Welcher Absatz passt? Überfliegen Sie den Text und ergänzen Sie die passenden Buchstaben.

Die Arbeitsplätze in der Produktion	◯	Die Produktion in den letzten 3 Jahrzehnten	◯
Audis internationaler Erfolg	B	Die Arbeitszeiten	◯

WIRTSCHAFT

»Mensch und Maschine« VON GÜNTHER JANNACK

Die deutsche Autoindustrie war schon in den 1970er- und 80er-Jahren sehr effektiv. Doch neue Technologien haben die Produktivität weiter verbessert. Frank Heistenbergs Dokumentarfilm „Mensch und Maschine" zeigt dies am Beispiel von Audi in Ingolstadt.

(A) Industriemeister Alfons Beierl geht bald in Rente. Seit fast 40 Jahren arbeitet er bei Audi. Am Fließband hat er gesehen, wie sich die Produktion in den vergangenen Jahrzehnten geändert hat. „1980 haben wir hier in Ingolstadt schon täglich 800 ‚Audi 80' produziert", sagt er stolz und ergänzt dann mit einem kleinen Lächeln: „Heute machen wir in dieser Fahrzeugklasse 1700 Fahrzeuge am Tag. Das sind über 110 Prozent mehr!"

(B) 1980 gehen 35% aller ‚Audi 80' in den Export. Im Jahr 2011 sind es 75% bei den Nachfolgemodellen. Audi hat mit seinen Fahrzeugen sehr großen Erfolg auf dem Weltmarkt. Bei dem starken internationalen Wettbewerb geht das natürlich nicht ohne Einsparungen. „Früher hatten wir zum Beispiel ein großes Lager", sagt Alfons Beierl. „Heute kommen die Bauteile von anderen Firmen pünktlich auf die Minute mit LKWs zu uns."

Autos/Tag

	1980	2011
Export	35%	75%
Inland	65%	25%

(C) Und wie sieht es im Werk aus? Alfons Beierl führt das Filmteam durch die großen Produktionshallen. Es ist sehr ordentlich und sauber. Hier könnte man fast vom Boden essen. Gesundheitlich problematische Arbeitsvorgänge, zum Beispiel das Lackieren der Fahrzeuge, machen heute Maschinen. Auch für Ergonomie am Arbeitsplatz hat man viel getan, wie Fotos aus der Firmengeschichte zeigen:

Arbeit im Motorraum 1981

Arbeit im Motorraum heute

(D) Arbeiter und Angestellte bei Audi haben heute mehr bezahlten Urlaub und eine kürzere Wochenarbeitszeit als früher. „Es hat sich wirklich sehr viel verändert", sagt Alfons Beierl. „Aber eins ist gleich geblieben: Bei guten Autos sind wir Ingolstädter ganz vorn." Dann lacht er und winkt zum Abschied.

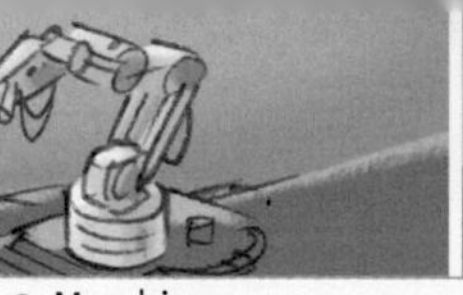
● Maschine

● Halle

● Betrieb/ ● Firma

● Lkw

b **Lesen Sie den Text noch einmal und kreuzen Sie an.**

1 Der Bericht ○ erklärt neue Technologien. ○ erzählt von einem Dokumentarfilm.
2 Die Produktion bei Audi ist seit 1980 um 110 Prozent ○ gestiegen. ○ gesunken.
3 Audi verkauft heute ○ besonders viele ○ nur noch wenige Autos ins Ausland.
4 Die internationale Konkurrenz ist groß. Deshalb ○ muss auch Audi sparen. ○ hat Audi ein großes Lager.
5 Die Arbeitsbedingungen in der Produktion sind heute ○ fast genauso wie ○ anders als vor 40 Jahren.
6 Alfons Beierls Arbeitsplatz ist heute ○ gesünder als ○ nicht so gesund wie vor 40 Jahren.
7 ○ Nur die Mitarbeiter in der Produktion ○ Alle Mitarbeiter bekommen heute mehr Urlaubstage und arbeiten weniger als vor 40 Jahren.

AB Beruf

5 Suchen freundliche Mitarbeiter

a **Lesen Sie die Anzeigen und ergänzen Sie die Tabelle.**

① Suchen freundliche Mitarbeiter (m/w) für unsere IT-Abteilung. Bieten Festanstellung bei gutem Lohn. Sana AG, Magdeburg

② Biete schnelle Reparaturen aller Art zu günstigen Preisen. Tel. 0176/0123456

③ Kleine Büros frei. Jetzt mieten! wuchervermietungen@btx.de

④ Suche ordentliche Haushaltshilfe für 10 Stunden pro Woche bei flexibler Arbeitszeit. Hugo Taubert, Tel. 444555

⑤ Suchen dringend großes Lager für 2 Monate. Siema AG, Kontakt: info@siema.com

⑥ Guter KFZ-Mechatroniker mit viel Berufserfahrung sucht Festanstellung. Tel. 04101/456

GRAMMATIK

	Nominativ		Akkusativ		Dativ	
●	guter	Mechatroniker	guten	Lohn	guten	Lohn
●	großes	Lager	~~gutes~~	Lager großen	großem	Lager
●	flexible	Arbeitszeit	ordentliche	Haushaltshilfe	flexibler	Arbeitszeit
●	kleine	Büros	~~[illegible]~~ freundliche	Mitarbeiter	günstigen	Preisen

Spiel & Spaß

b **Ergänzen Sie die Anzeigen.**

① Freundlich_____ Studentin bietet Hilfe im Haushalt und bei kleinen Reparaturen.

② Suche dringend klein_____ Büro oder klein_____ Arbeitsplatz in nett_____ Bürogemeinschaft. Monatlich bis 200 €

③ Erfolgreich_____ Betrieb sucht flexibl_____ Mitarbeiter für den Verkauf. Kontakt: personal@siema.com

④ Suche Festanstellung mit fest_____ Arbeitszeit und gut_____ Lohn.

AB interessant?

6 Fragebogen: Wie soll Ihre Arbeit sein? Was ist Ihnen wichtig?

Arbeiten Sie zu zweit auf Seite 89.

AB **7** **Berufe-Raten**

a **Schreiben Sie einen Beruf und den Arbeitsort / die Firma auf einen Zettel und kleben Sie den Zettel Ihrer Partnerin / Ihrem Partner auf die Stirn. Ihre Partnerin / Ihr Partner darf den Beruf nicht sehen.**

Diktat

b **Welchen Beruf haben Sie? Arbeiten Sie in Gruppen und stellen Sie Ja-/Nein-Fragen. Die anderen antworten.**

- ■ Habe ich studiert?
- ▲ Ja.
- ■ Bin ich selbstständig?
- ● Nein, das bist du nicht. Aber in dem Beruf kann man auch selbstständig arbeiten.
- ■ Arbeite ich in einem Büro?
- ▲ Nein, du arbeitest nicht in einem Büro.
- ■ Muss ich in meinem Beruf viel reisen?
- …

Audiotraining | Karaoke

GRAMMATIK

Adjektivdeklination nach Nullartikel

	Nominativ	Akkusativ	Dativ
●	guter Lohn	guten Lohn	gutem Lohn
●	großes Lager	großes Lager	großem Lager
●	flexible Arbeitszeit	flexible Arbeitszeit	flexibler Arbeitszeit
●	kleine Büros	kleine Büros	kleinen Büros

KOMMUNIKATION

Wichtigkeit ausdrücken

Ich möchte gern …	Ist dir das wichtig?
Ja, das ist mir sehr wichtig. / Ja, sehr. Und dir?	Mir ist das auch wichtig / nicht so wichtig.
Und …? Wie wichtig ist/sind dir das/die?	Das /Die ist/sind mir nicht/sehr/schon wichtig.

LaDONNASPORT – *Dein Frauen-Fitnessstudio*

RÜCKENSCHMERZEN? ZU VIEL SPECK UM DIE HÜFTEN? KEINE AUSDAUER?

Dann schaut bei uns vorbei! Mit LaDonnaSport macht Sport wieder Spaß.
Wer regelmäßig Sport treibt, lebt gesünder, sieht besser aus und ist rundum zufriedener.
Probiert es aus! Unser Team stellt euch gern einen persönlichen Trainingsplan zusammen.
Trainiert euren Körper an über 40 modernen Geräten. Baut Muskeln auf. Entspannt euch im Wellnessbereich. Trefft Freunde oder lernt nette Leute kennen. Unsere Gesundheitsbar hat viele leckere Salate und gesunde Drinks im Angebot. Kommt und lasst es euch schmecken!

FITNESS UND KURSE FÜR NUR 19,90 EURO/MONAT!

Egal ob (frisch gebackene) Mutter, (viel beschäftigte) Geschäftsfrau, Studentin oder Seniorin – bei LaDonnaSport seid ihr genau richtig!

EINLADUNG zum Tag der offenen Tür am 16./17./18. Mai von 9–21 Uhr

50 % Ermäßigung für die ersten 100 Mitglieder! Unverbindliches Probetraining

LaDonnaSport hat täglich von 6:00 Uhr bis 24:00 Uhr geöffnet.
Außerdem bieten wir professionelle Kinderbetreuung und einen großen Wellnessbereich mit Sauna und Schwimmbad.

LaDonnaSport hat sieben Tage in der Woche geöffnet:

- montags und mittwochs Yogakurse
- dienstags und donnerstags Pilates
- jeden Freitag Lauftreff
- täglich Bauch-Beine-Po-Gymnastik
- wechselnde Angebote am Wochenende wie Zumba und Poweryoga

LaDONNASPORT
Mein Lieblingsstudio!

LADONNASPORT – DAS FITNESSSTUDIO IN DEINER NÄHE
IDEAL FÜR FRAUEN!

1 Lesen Sie den Flyer und beantworten Sie die Fragen.

a Sie möchten alleine trainieren. Was bietet das Fitnessstudio an?
b In dem Fitnessstudio kann man nicht nur Sport machen. Was gibt es dort noch?
c Für wen ist das Angebot und wie sind die Öffnungszeiten?
d Welche Kurse kann man in dem Fitnessstudio besuchen?

2 Und Sie? Sind oder waren Sie schon einmal Mitglied in einem Fitnessstudio? Erzählen Sie.

▶ Clip 3

1 Auf dem Fußballplatz

a Was passiert hier? Lesen Sie die Fragen und sehen Sie den Anfang des Films (bis 0:40). Was meinen Sie?

1 Wo treffen sich die beiden Männer?
2 Sind die beiden verabredet oder treffen sie sich zufällig?
3 Wer von den beiden Männern ist sportlicher?
4 Wie geht der Film weiter?

b Was ist richtig? Sehen Sie den ersten Teil des Films (bis 2:13) und kreuzen Sie an.

1 Christian hat noch nie in einem Verein gespielt. ○
2 Max hatte als Kind einen Traum: Ich möchte Fußball-Profi werden. ○
3 Christian muss nach einer Verletzung auf sein Knie aufpassen. ○
4 Max verletzt sich schwer am Knie. ○
5 Christian würde gern noch weiter spielen. ○

c Haben Sie Erfahrungen mit Sportvereinen? Wie finden Sie Sportvereine? Erzählen Sie.

Als Kind habe ich Tennis im Verein gespielt. Das hat sehr viel Spaß gemacht. …

▶ Clip 3

2 Am Telefon

a Sehen Sie den Film ohne Ton weiter (ab 2:14). Wer ist am Telefon? Was meinen Sie? Schreiben Sie zu zweit ein Telefongespräch und spielen Sie Ihr Gespräch im Kurs.

Jacob: Hallo Christian, hier ist Jacob. Wie geht's?
Christian: Danke, gut. Ich bin gerade …

b Sehen Sie den zweiten Teil des Films nun mit Ton und ergänzen Sie.

1 Das Telefon klingelt. ______________ ruft an.
2 Sie möchte heute Abend für alle ______________.
3 Christian und Max sollen ______________ besorgen.
4 Und sie sollen in ______________ zu Hause sein.

1 Waschen früher und heute

Was ist richtig? Lesen Sie den Text und kreuzen Sie an.

Waschen früher und heute

Heute ist es ganz einfach: Tür auf, Wäsche rein, Waschpulver dazu, Tür zu, Knopf drücken. Und circa eine Stunde später kann man die saubere, frisch duftende Wäsche aus der Waschmaschine holen und zum Trocknen aufhängen. Fertig!

Vor 100 Jahren aber war Wäschewaschen eine anstrengende Arbeit: Die Frauen haben die Wäsche erst einmal bis zu 24 Stunden eingeweicht, dann gekocht und von Hand weiter bearbeitet. Meistens hat man dazu Soda verwendet. Das ist aber sehr schlecht für die Haut! Zum Ausspülen haben die Frauen die Wäsche dann an einen Bach oder an eine Wasserpumpe getragen.

Nach dieser schweren Arbeit hatten die Frauen oft Rückenschmerzen oder waren erkältet. Deshalb haben reiche Leute nur zwei- bis dreimal pro Jahr gewaschen, ärmere Leute oft einmal im Monat, weil sie nicht so viel Wäsche hatten.

Seit 1951 gibt es Waschmaschinen. Die erste Waschmaschine war noch sehr teuer und fast nicht bezahlbar. Deshalb haben nur sehr wenige Menschen so eine Maschine gekauft. Im Jahr 1969 hatten schon viele Familien (61 %) eine Waschmaschine und heute steht sie in fast jedem Haushalt in den deutschsprachigen Ländern.

a Das Waschen war vor 100 Jahren leichter als heute. ○
b Vor 100 Jahren war das Waschen sehr anstrengend und deshalb Männerarbeit. ○
c Das Waschen hat früher sehr lange gedauert. ○
d Nach dem Waschen waren die Waschfrauen oft krank. ○
e In den 50er-Jahren hatten viele Frauen eine Waschmaschine. ○
f Heute wäscht in Deutschland, Österreich und der Schweiz fast keiner mehr mit der Hand. ○

2 Das Leben heute und vor 100 Jahren in Ihrem Heimatland

a **Wählen Sie ein Thema aus und suchen Sie Informationen und Fotos im Internet oder in Bibliotheken. Wie war das Leben früher? Wie ist es heute? Machen Sie Notizen zu den Begriffen.**

Beruf & Arbeit (Lohn, Arbeitszeit, Urlaub, Arbeitsbedingungen ...)
Sport & Freizeit (Sportarten, Vereine, Natur & Ausflüge ...)
Familie & Alltag (Hausarbeit, Kochen, Ernährung & Übergewicht ...)

b **Schreiben Sie kurze Texte zu Ihren Fotos und machen Sie ein Plakat. Machen Sie dann eine Ausstellung im Kurs.**

24 Stunden sind zu wenig

REFRAIN

Man sollte eigentlich … Aber es geht nicht. 24 Stunden sind zu wenig.
Na ja, man könnte doch … Aber es geht nicht. 24 Stunden sind zu wenig.
Man sollte öfter mal … Aber es geht nicht. 24 Stunden sind zu wenig.

○ ■ Nee, das geht nicht, Mann, weil ich abends nicht kann.
● Wieso?
■ Hier ist mein Terminkalender. Sieh ihn dir an!

○ ■ Boah, der ist ja voll! Das find' ich nicht so toll.
● Warum?
■ Weil ich jetzt nicht weiß, mit wem ich joggen gehen soll.

② ● Nee, das geht nicht, Mann, weil ich am Freitag nicht kann.
■ Wieso denn?
● Hier ist mein Kalender. Da, sieh ihn dir an!

○ ● Es stimmt ja, Joggen wäre gar nicht so dumm.
Aber vormittags muss ich zu meinem Praktikum.
Deshalb kann ich vormittags nicht joggen gehen.
Könnten wir uns nicht um sechs Uhr abends sehen?

① ■ Du, was machst du denn am Freitag zwischen neun und zehn?
Wir könnten doch vielleicht zusammen joggen gehen.
Na komm, du solltest was für deine Fitness tun.
Hättest du denn Zeit? Na sag, was ist denn nun?

○ ● Boah, der ist ja voll! Das find ich nicht so toll.
■ Warum?
● Weil ich jetzt nicht weiß, mit wem ich Sport machen soll!

▶1 24 **1 Lesen Sie den Liedtext und sortieren Sie die Strophen. Hören Sie dann und vergleichen Sie.**

▶1 24 **2 Hören Sie noch einmal und singen Sie mit.**

3 Haben Sie auch so viele Termine? Was sollten/könnten Sie öfter machen? Sprechen Sie in Gruppen.

Gut, dass du reserviert hast. 10

Hören/Sprechen: im Restaurant bestellen: *Wir würden gern bestellen.*; reklamieren / um etwas bitten: *Verzeihen Sie, aber die Suppe ist kalt.*; bezahlen: *Die Rechnung, bitte.*

Wortfeld: im Restaurant

Grammatik: Konjunktion *dass*

1 Was meinen Sie? Sehen Sie das Foto an und beantworten Sie die Fragen.

Wo sind die Personen?
Wer sind sie?
Wie gut kennen sie sich?

Ich glaube, die beiden Personen sind in einem Lokal. Vielleicht sind sie Freunde. Die Frau hat Geburtstag und ihr Freund lädt sie zum Essen ein.

▶ 1 25

2 Wir haben die gleiche Blume.

Hören Sie und vergleichen Sie: Waren Ihre Vermutungen richtig?

Die beiden sind keine Freunde, sie …

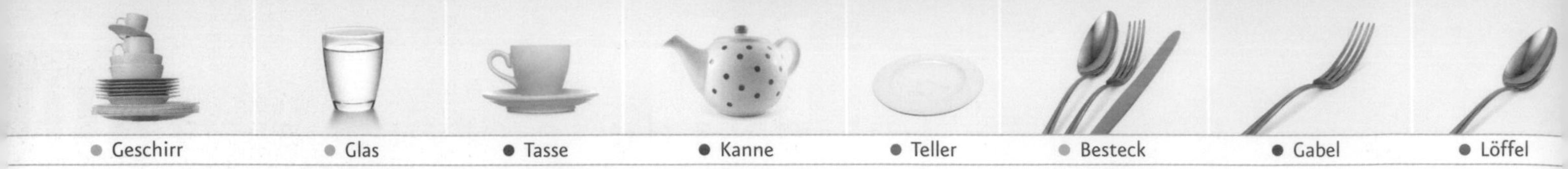

▶ 1 26 AB

3 Schade, dass es keine Pizza gibt.

a Was möchten Julia und Olli gern essen? Hören Sie und kreuzen Sie an.

	Pizza	Hamburger	Fisch	Pommes frites
JULIA	○	○	○	○
OLLI	○	○	○	○

Spiel & Spaß

b Wo steht das Verb in *dass*-Sätzen? Hören Sie noch einmal und ergänzen Sie die Tabelle.

Du hast reserviert. | Sie haben wenigstens Pommes. | ~~Es gibt keine Pizza.~~ | Ich nehme den Fisch.

GRAMMATIK

Schade,	dass	es keine Pizza	gibt.
Ich denke,	dass	....	....
Ich hoffe,	dass	....	....
Gut,	dass	....	....

4 Im Restaurant: Schade, dass es kein … gibt.

Arbeiten Sie zu dritt auf Seite 90.

GRAMMATIK
Ich weiß/finde/denke/glaube/hoffe/…, dass …
Gut/Schön/Schade/…, dass …

▶ 1 27 AB

5 Hören Sie das Gespräch im Restaurant weiter.

Was ist richtig? Kreuzen Sie an.

noch einmal?

1 Olli nimmt das Steak mit ○ Kartoffeln. ○ Pommes frites. ○ Salat.
2 Er möchte einen Salat ○ mit Essig und Öl. ○ nur mit Öl.
3 Julia möchte den Fisch mit ○ Kartoffelpüree. ○ Salat.

AB

6 Der perfekt gedeckte Tisch

Sehen Sie die Zeichnung an. Was fehlt auf dem Tisch? Hilfe finden Sie im Bildlexikon.

Spiel & Spaß

■ Auf dem Tisch ist kein Essig.
▲ Ja, und A hat kein Messer.

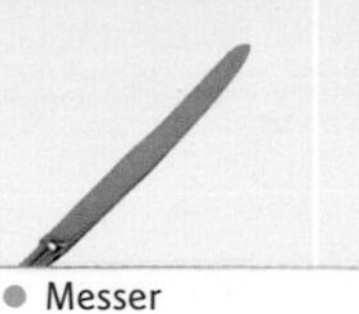

● Messer ● Salz ● Pfeffer ● Essig ● Öl ● Zucker ● Serviette

AB **7** **Entschuldigung! Wir würden gern bestellen.**

Diktat

a **Wer sagt das? Ergänzen Sie die Sätze.**

Ich hätte gern … | Ich komme gleich. | Bringen Sie mir lieber … | ~~Ich möchte bitte bestellen.~~ | Sofort.

Gast

■ Entschuldigung! Wir würden gern bestellen. / Ich möchte bitte bestellen.

Kellnerin / Kellner

▲ Einen Moment, bitte. / Einen Augenblick, bitte. / ________ / ________ …
Was kann ich Ihnen bringen?

■ ________ / Ich nehme …
Aber nicht mit …, sondern mit …
____

▲ Gern.

Beruf

b **Rollenspiel: Im Restaurant. Spielen Sie Gespräche.**

SALATE	
Kleiner gemischter Salat	4,50
Großer Salat mit Schafskäse und Oliven	8,50

HAUPTGERICHTE	
Steak in Pfeffersoße mit Pommes frites und Salat	16,90
Schnitzel „Wiener Art" mit Bratkartoffeln und Salat	12,90
Hähnchenbrust mit Reis und Gemüse	11,90
Labskaus „Seemannsart" mit Spiegelei, Gewürzgurke und Hering	12,90

▶ 1 28 AB **8** **Hat es geschmeckt?**

a **Was ist richtig? Hören Sie und kreuzen Sie an.**

1 Julia hat es nicht so gut geschmeckt. ○
2 Olli meint, dass der Kellner die Pommes frites vergessen hat. ○
3 Olli ist sicher, dass er kein Steak medium bestellt hat. ○
4 Olli und Julia zahlen getrennt. ○

interessant?

b **Was passt? Ordnen Sie zu.**

Verzeihen Sie, aber die Suppe ist kalt. | Die Rechnung, bitte. | Ich gebe es an die Küche weiter. | Der Salat war nicht frisch. | Das macht … | Das Messer ist nicht sauber. Könnte ich ein anderes bekommen? | Die Kartoffeln waren versalzen. | Wir würden gern zahlen. | Zusammen oder getrennt? | Wir haben kein Öl. Könnten Sie uns bitte das Öl bringen? | Hier bitte, stimmt so. | Oh! Das tut mir leid. Ich bringe eine neue Suppe. | Getrennt, bitte.

reklamieren/ um etwas bitten:	Verzeihen Sie, aber …
bezahlen:	Die Rechnung, bitte.

c **Worüber haben Sie sich das letzte Mal im Restaurant beschwert? Erzählen Sie.**

10 SPRECHTRAINING

AB Comic

9 Würfelspiel: Im Restaurant

Spielen Sie zu zweit. Würfeln Sie und ziehen Sie mit Ihrer Spielfigur. Lesen Sie die Spielanweisung zu Ihrem Feld und sprechen Sie. Ihre Partnerin / Ihr Partner spielt die Kellnerin / den Kellner. Tauschen Sie dann die Rollen.

	Gast	Kellner
(Kellner)	Rufen Sie den Kellner.	Reagieren Sie.
(Glas)	Bestellen Sie etwas zu trinken.	Reagieren Sie.
(Teller)	Bestellen Sie etwas zu essen.	Reagieren Sie.
(Salz/Pfeffer)	Der Kellner hat etwas vergessen. Bitten Sie um Salz/Pfeffer/...	Reagieren Sie.
(Gast)	Nach dem Essen: Der Kellner fragt, wie es geschmeckt hat. Reklamieren Sie.	Fragen Sie, wie es geschmeckt hat und reagieren Sie auf die Antwort.
(Rechnung)	Sie möchten zahlen.	Reagieren Sie.

Audiotraining | Karaoke

GRAMMATIK

Konjunktion: *dass*
Ich hoffe, dass sie Pommes haben.
auch so: Gut/Schön/Schade/..., dass ... Kann es sein, dass ...? Ich weiß/finde/denke/glaube/hoffe/..., dass ...

KOMMUNIKATION

im Restaurant: bestellen	
Entschuldigung! Wir würden gern bestellen. / Ich möchte bitte bestellen.	Einen Moment. / Einen Augenblick, bitte. / Ich komme gleich. / Sofort.
Sie bekommen? Was kann ich Ihnen bringen?	Ich hätte gern ... / Ich nehme .... Aber nicht mit ..., sondern mit ... Bringen Sie mir lieber ...

im Restaurant: reklamieren / um etwas bitten	
Könnten Sie mir etwas Essig und Öl bringen? Das Messer ist nicht sauber. Könnte ich ein anderes bekommen?	Oh! Das tut mir leid. Ich ...
Verzeihen Sie, aber die Suppe ist kalt. Der Salat war nicht frisch. Die Kartoffeln waren versalzen.	Ich gebe es an die Küche weiter.

im Restaurant: bezahlen	
Die Rechnung, bitte. Wir würden gern zahlen.	Zusammen oder getrennt?
Zusammen./Getrennt.	Das macht ...
Hier bitte, stimmt so.	

Ich freue mich so. 11

▶ 1 29 **1 Sehen Sie das Foto an und hören Sie.**
Wer ist Luisa und was für ein Fest ist das? Was meinen Sie?

Luisa? Chefin | Mitarbeiterin des Jahres | neue Kollegin | Geschäftspartnerin | …
Fest? Geburtstag | Pensionierung | Jubiläum | …

2 „Restlos Glücklich GmbH": Was für eine Firma könnte das sein?

- ■ Ich glaube, dass die Firma Hochzeiten organisiert.
- ▲ Ja, oder vielleicht Geburtstage.
- ● Nein, das glaube ich nicht. Ich denke, dass …

Sprechen: etwas bewerten: *Ich finde es schön, dass …*; gratulieren: *Viel Glück!*; sich bedanken: *Wir danken Ihnen für …*

Lesen: Zeitungsartikel, Interview

Schreiben: gratulieren: *Wir gratulieren Dir ganz herzlich.*; sich bedanken: *Wir bedanken uns für …*

Wortfeld: Gebrauchsgegenstände

Grammatik: reflexive Verben: *sich freuen, sich erinnern*

- Briefumschlag
- Briefpapier
- Postkarte
- Notizblock
- Geschenkpapier

AB 3 Zehn Jahre „Restlos Glücklich“

a Was ist richtig? Überfliegen Sie den Zeitungsartikel und kreuzen Sie an.

Der Artikel heißt „Zehn Jahre ‚Restlos Glücklich‘“,
- ◯ weil 45 Mitarbeiter seit 10 Jahren glücklich mit ihrem Job sind.
- ◯ weil die Firma Restlos Glücklich GmbH ihr zehnjähriges Jubiläum feiert.

Zehn Jahre ‚Restlos Glücklich‘

Zwei Gedanken sind der gelernten Buchdruckerin Luisa Bauer immer wieder durch den Kopf gegangen: ‚Es ist traurig, dass so viele Jugendliche keinen guten Job bekommen‘ und: ‚Es ist Wahnsinn, dass (5) wir so viele Dinge auf den Müll werfen‘. Deshalb hat sie vor zehn Jahren die *Restlos Glücklich GmbH* gegründet. Ihre Geschäftsidee: Aus Alt mach Neu. In ihren Werkstätten wird Altpapier zu bunten Briefumschlägen, Briefpapier, Postkarten, Notizblöcken (10) und Geschenkpapier. Getränkeverpackungen, Plastik- und Textilreste werden zu neuen Geldbörsen, Rucksäcken und Aktentaschen. Aus Second-Hand-Kleidern wird topmoderne Mode und aus langweiligen alten Schränken und Tischen werden interes- (15) sante neue Designermöbel. Die Produkte kann man im Werkstattladen, auf Messen und natürlich auch online ansehen und kaufen. Mit zwei jungen Helfern hat die 26-Jährige angefangen. (20) Heute hat Luisa Bauer 45 Mitarbeiterinnen und Mitarbeiter. Das Betriebsklima ist sehr gut, weil die Arbeit so vielseitig und interessant ist. Deshalb hat Bürger- (25) meister Ludger Rennert die Unternehmerin auf der Feier zum zehnjährigen Firmenjubiläum besonders gelobt: „Ihr Engagement, liebe Frau Bauer, ist so wichtig, weil es zeigt, dass Umweltschutz, soziales Engagement und wirtschaftlicher Erfolg prima zu- (30) sammenpassen. Und deshalb wünsche ich Ihnen und Ihrem Projekt auch weiterhin alles Gute!“

Gundula Stremmer

Spiel & Spaß

b Lesen Sie den Zeitungsartikel noch einmal. Hilfe finden Sie im Bildlexikon. Ordnen Sie zu.

1. Luisa hatte zwei Gründe für die Firmengründung:
2. Die Firma „Restlos Glücklich GmbH“ stellt
3. Die Firma verkauft
4. Die Kunden können
5. Der Betrieb ist

- Gebrauchsgegenstände, Mode und Möbel.
- in den letzten zehn Jahren stark gewachsen.
- jungen Erwachsenen eine gute Arbeitsstelle bieten und Müll sinnvoll verwenden.
- Produkte aus Müll her.
- die Produkte in der Werkstatt, auf Messen und im Internet kaufen.

AB 4 Wie finden Sie Luisas Geschäftsidee und ihre Produkte? Sprechen Sie.

a Wie finden Sie die Geschäftsidee?
b Würden Sie die Produkte kaufen? Warum / Warum nicht?
c Würden Sie gern in der Firma arbeiten? Warum / Warum nicht?

KOMMUNIKATION

Ich finde es traurig/schrecklich/..., dass man so viel wegwirft / ...
Es ist Wahnsinn, dass ...
Ich finde es schön, dass ... / Ich bin froh, dass ...
Ich denke, dass das eine gute Idee ist. / dass das im Trend liegt.
Meiner Meinung nach ist es sehr gut, dass ...
Am besten / Besonders gut gefällt mir, dass ...
Den/das /die ... würde ich gern/nicht kaufen. Denn ...
Ich würde gern / nicht so gern in der Firma arbeiten, weil ...

- ● Geldbörse / ● Portemonnaie
- ● Aktentasche
- ● Handtasche
- ● Rucksack

interessant?

AB **5** **Aus Alt mach Neu: Woraus sind diese Produkte?**
Arbeiten Sie zu viert auf Seite 88.

6 **Sind Sie restlos glücklich?**

a **Lesen Sie das Interview. Was ist richtig? Kreuzen Sie an.**

Die Allgemeine: *Frau Bauer, seit zehn Jahren sind Sie nun selbstständig mit Ihrem Unternehmen ‚Restlos Glücklich GmbH'. Wie fühlen Sie sich? Sind Sie restlos glücklich?*

Luisa Bauer: Na, das ist man ja nie. Aber ich fühle mich trotzdem prima.

Die Allgemeine: *Erinnern Sie sich noch an Ihre ersten Produkte?*

Luisa Bauer: Na klar erinnere ich mich. Ein Schulbuch-Verlag hat uns damals 8000 große alte Landkarten geschenkt und wir haben Geschenkpapier und Briefumschläge daraus gemacht.

Die Allgemeine: *Ist das normal, dass Sie so einfach Altmaterial von anderen Unternehmen bekommen?*

Luisa Bauer: Am Anfang war es nicht leicht, weil ich nur wenige Kontakte hatte. Inzwischen kenne ich aber viele Betriebe. Manche kommen von selbst und fragen: Das soll eigentlich auf den Müll, könnt ihr das vielleicht brauchen? Über so etwas freue ich mich natürlich besonders.

Die Allgemeine: *Ein großer Designmöbelhändler hier in der Stadt hat mal gesagt, dass die ‚Restlos Glücklich GmbH' für ihn nur ein billiger Second-Hand-Shop ist. Ärgern Sie sich da sehr?*

Luisa Bauer: Nein, ich ärgere mich überhaupt nicht. Der Satz zeigt doch, dass der Mann uns als Konkurrenz sieht. Er hat Angst, dass er Kunden an uns verliert. Soll ich mich deshalb ärgern?

Die Allgemeine: *Wie wird es in den nächsten Jahren weitergehen? Haben Sie schon neue Ideen?*

Luisa Bauer: Oh ja! Zum Beispiel hätte ich gern eine Internetplattform für Firmen wie unsere. Einen internationalen ‚Aus-alt-mach-neu-Markt', verstehen Sie? Das wäre doch toll, oder?

1 Frau Bauer ist unglücklich. ○
2 Das erste Produkt der Firma war aus Geschenkpapier. ○
3 Die Arbeit ist jetzt leichter als am Anfang, weil Frau Bauer nun viele Firmen kennt. ○
4 Frau Bauer hat Angst, dass sie Kunden an Designmöbelhändler verliert. ○
5 Frau Bauer möchte mit anderen Firmen zusammenarbeiten. ○

b **Ordnen Sie zu. Vergleichen Sie dann mit dem Text und ergänzen Sie die Tabelle.**

Aber ich fühle	sich noch an Ihre ersten Produkte?
Erinnern Sie	mich natürlich besonders.
Über so etwas freue ich	mich überhaupt nicht.
Nein, ich ärgere	mich trotzdem prima.

GRAMMATIK

ich fühle	______
du fühlst	dich
er/sie/es fühlt	sich
wir fühlen	uns
ihr fühlt	euch
sie/Sie fühlen	______

Spiel & Spaß

AB **7** **Aktivitäten-Bingo: Triffst du dich abends oft mit deinen Freunden?**
Arbeiten Sie zu viert auf Seite 91.

11 SCHREIBTRAINING

AB **8** **Herzlichen Glückwunsch!**

Diktat

a Lesen Sie die Kommentare im Online-Gästebuch und ergänzen Sie.

bedanken | freuen | viel Erfolg | Glückwunsch | gratulieren | Gute | Jubiläum | wünschen

Willkommen im Gästebuch der Firma »RESTLOS GLÜCKLICH GMBH«

Sie möchten einen Kommentar zu unserer Firma oder unseren Produkten abgeben?
Dann schreiben Sie doch einen Beitrag in unser Gästebuch.

Liebe Luisa,
herzlichen ____________ zum zehnjährigen ____________! Wir ____________ der besten Chefin der Welt ganz herzlich und ____________ uns schon auf die nächsten 10 Jahre.
Auf gute Zusammenarbeit! DAS ALTPAPIER-TEAM

Liebe Frau Bauer,
alles ____________ zum Jubiläum! Wir möchten uns noch einmal für die gute Zusammenarbeit ____________ und ____________ Ihnen auch für die nächsten 10 Jahre ____________!
Textil GmbH, R. Winter

b Schreiben Sie nun selbst einen Kommentar in das Gästebuch.

KOMMUNIKATION

Herzlichen Glückwunsch zum Jubiläum!
Alles Gute zum Jubiläum! / Viel Glück!
Wir wünschen Ihnen ...
Wir gratulieren Ihnen ...
Wir danken Ihnen für ...
Wir bedanken uns für ...
Wir hoffen ...

Audiotraining | Karaoke

GRAMMATIK

reflexive Verben	
Aber ich fühle mich trotzdem prima.	
ich fühle	mich
du fühlst	dich
er/es/sie fühlt	sich
wir fühlen	uns
ihr fühlt	euch
sie/Sie fühlen	sich
auch so: sich ärgern, sich erinnern, sich freuen, sich entschuldigen, sich unterhalten, sich treffen, sich streiten, sich beschweren ...	

KOMMUNIKATION

etwas bewerten

Ich finde es traurig/schrecklich/..., dass man so viel wegwirft / ...
Ich finde es schön, dass ... / Ich bin froh, dass ...
Ich denke, dass das eine gute Idee ist. / dass das im Trend liegt.
Meiner Meinung nach ist es sehr gut, dass ...
Am besten / Besonders gut gefällt mir, dass ...
Den/das /die ... würde ich gern/nicht kaufen. Denn ...
Ich würde gern / nicht so gern in der Firma arbeiten, weil ...

gratulieren

Herzlichen Glückwunsch zum Jubiläum!
Alles Gute zum Jubiläum! / Viel Glück!
Wir wünschen Ihnen ...
Wir gratulieren Ihnen ...
Wir hoffen ...

sich bedanken

Wir danken Ihnen für ...
Wir bedanken uns für ...

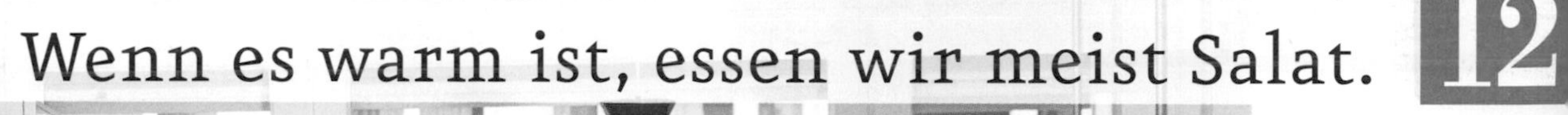

Wenn es warm ist, essen wir meist Salat. 12

Hören: Interviews

Sprechen: Überraschung ausdrücken: *Es überrascht mich, dass …*; etwas vergleichen: *Bei uns ist das anders.*

Lesen: Sachtext

Wortfeld: Lebensmittel

Grammatik: Konjunktion *wenn*

1 Sehen Sie das Foto an. Was für eine Situation ist das?

> Ich glaube, das ist eine Familie. Sie hat gerade eingekauft. Die Lebensmittel stehen vielleicht auf dem Tisch, weil …

▶ 1 30

2 Was ist richtig? Hören Sie und kreuzen Sie an.

a Familie Schneider bereitet sich ○ auf Gäste ○ auf ein Foto vor.

b Eine Zeitschrift möchte über die Essgewohnheiten ○ in Deutschland ○ in Österreich schreiben.

c Eine Durchschnittsfamilie besteht aus ○ vier Personen. ○ drei Personen.

d Die Lebensmittel auf dem Tisch verbraucht die Familie ○ in einer Woche. ○ in einem Monat.

● Obst ● Gemüse ● Wurst ● Fleisch

AB 3 Der Lebensmittel-Konsum in Deutschland

Spiel & Spaß

a Was ist richtig? Was meinen Sie? Kreuzen Sie an. Hilfe finden Sie im Bildlexikon.

Die Deutschen essen ...

- ○ ... viele Getreideprodukte, zum Beispiel Brot und Müsli.
- ○ ... viel Fisch.
- ○ ... sehr viel Obst und Gemüse.

b Überfliegen Sie den Text und überprüfen Sie Ihre Vermutungen aus a.

> INFO
> die Hälfte = 50 % (Prozent)
> doppelt so viel/viele = zweimal so viel/viele
> rund 300 Gramm (g) = circa 300 Gramm (g)

Wie sieht die Ernährung der Deutschen aus? Essen sie genügend Obst? Wie viel Alkohol trinken sie? Und wie viel Fleisch essen sie pro Tag?

5 Das Bundesministerium hat dazu eine Umfrage unter Jugendlichen und Erwachsenen gemacht und einige interessante Ergebnisse herausgefunden:

Am häufigsten essen die Deutschen **Brot** und 10 **Getreideprodukte**.

Männer essen doppelt so viel **Fleisch** und **Wurstwaren** wie Frauen – 103 g pro Tag. Bei Frauen sind es dagegen nur 53 g pro Tag. Die empfohlene Menge sind 300 g bis 600 g 15 pro Woche.

Die Deutschen essen kaum Fisch: Durchschnittlich essen Männer nur 29 g **Fisch** pro Tag und Frauen 23 g pro Tag. Am meisten Fisch essen die Hamburger, und ältere Menschen essen 20 mehr Fisch als jüngere.

Die Deutschen essen zu wenig **Obst** und **Gemüse**: 87 % essen zu wenig Gemüse und 59 % essen zu wenig Obst. Frauen essen durchschnittlich mehr Obst als Männer. Aber auch 25 54 % der Frauen schaffen die empfohlene Menge (250 g pro Tag) nicht. Am meisten Obst essen die Deutschen nicht im Sommer oder Herbst, sondern in den Wintermonaten von November bis Januar.

30 Pro Tag soll man 1,5 Liter Nicht-Alkoholisches trinken. Das machen die meisten Deutschen auch. Positiv: **Wasser** macht davon etwa die Hälfte aus. Kaffee, schwarzer und grüner Tee stehen an Platz 2. Ansonsten trinken Frauen 35 mehr Kräuter- und Früchtetees, Männer häufiger Limonade.

Männer trinken mit rund 30 g **Alkohol** am Tag fast 4-mal mehr als Frauen. Davon sind 80 % Bier und nur 15 % Wein. Frauen trinken zu 40 50 % Bier und Wein. Spirituosen trinken vor allem junge Männer zwischen 19 und 24 Jahren.

c Lesen Sie noch einmal und kreuzen Sie an.

		richtig	falsch
1	Das Bundesministerium hat nur Erwachsene über ihre Essgewohnheiten befragt.	○	○
2	Die Deutschen essen kaum Brot.	○	○
3	Männer essen durchschnittlich viel mehr Fleisch als Frauen.	○	○
4	Die Deutschen essen nicht so oft Fisch.	○	○
5	Die Deutschen essen im Winter zu wenig Obst.	○	○
6	Männer trinken häufiger Tee als Frauen.	○	○
7	Männer trinken doppelt so viel Alkohol wie Frauen.	○	○

▶ Clip 4 **1** **Im Restaurant**

a **Was ist richtig? Sehen Sie den Anfang des Film (bis 0:28) und kreuzen Sie an.**

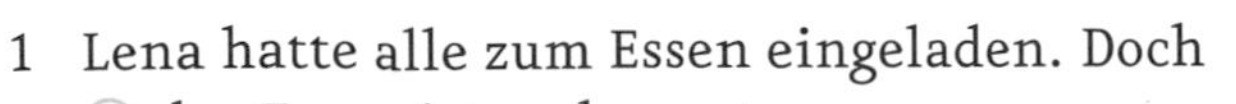
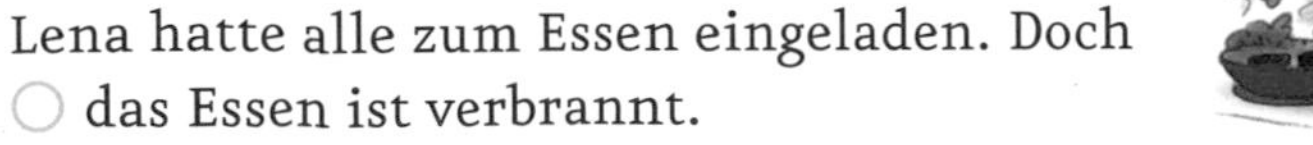

1 Lena hatte alle zum Essen eingeladen. Doch
◯ das Essen ist verbrannt.
◯ der Herd funktioniert nicht. Deshalb gehen Lena und Christian mit ihren Gästen in ein Restaurant.

2 Melanie und Max freuen sich, dass
◯ sie Lena und Christian ihr Lieblingsrestaurant zeigen können.
◯ sie Lenas und Christians Lieblingsrestaurant kennenlernen können.

b **Was bestellen die Personen? Sehen Sie den Film nun weiter (ab 0:29) und ergänzen Sie.**

1 Lena nimmt das Lammfleisch mit ______________.
2 Max möchte auch das ______________ mit ______________.
3 Melanie bestellt als Vorspeise die ______________ und als Hauptspeise den ______________.
4 Christian hätte gern den Salat ohne ______________. Und als Hauptgericht möchte er auch den ______________ essen.

c **Und Sie? Was mögen Sie nicht? Welche Sonderwünsche haben Sie im Restaurant? Erzählen Sie.**

Ich mag keine Paprika. Einen Salat bestelle ich immer ohne Paprika.

▶ Clip 4 **2** **Hoffentlich geht das nicht auch noch schief!**
Ordnen Sie zu. Sehen Sie dann den Film noch einmal und vergleichen Sie.

a Lena ärgert sich, dass	das Restaurant so leer ist.
b Melanie und Max wundern sich, dass	der Kellner sie zu einem Getränk einladen möchte.
c Die vier ärgern sich, dass	den Sekt ohne Orangensaft.
d Christian ärgert sich, dass	er sich Sorgen gemacht hat.
e Lena beschwert sich über	sie nicht für alle kochen kann.
f Die vier wundern sich, dass	sie so lange auf den Kellner warten müssen.
g Der Kellner entschuldigt sich bei	er einen Sohn bekommen hat.
h Er war durcheinander, weil	den Gästen.
i Der Kellner freut sich darüber, dass	der Kellner den Sekt verschüttet.

● Fisch ● Getreide ● Limonade ● Mineralwasser

AB **4** **Die Essgewohnheiten der Deutschen**

a **Was überrascht Sie? Was nicht? Wählen Sie drei Satzanfänge und ergänzen Sie.**

Es überrascht mich, dass ______________.
Ich finde es komisch, dass ______________.
Ich habe gedacht, dass ______________.
Es war mir klar, dass ______________.

Diktat

b **Sprechen Sie in Gruppen über Ihre Ergebnisse. Wie ist es in Ihrem Land?**

KOMMUNIKATION

Ich finde es komisch / Es ist komisch, dass …	Ja, das ist komisch. Aber bei uns ist das auch so.
Es wundert/überrascht mich, dass …	Bei uns / In Brasilien / In meiner Heimat … ist das anders.
Es war mir (nicht) klar, dass …	Wir essen …
Ich habe gedacht, dass …	Wirklich?/Komisch! Das wundert/überrascht mich (auch).

▶ 1 31–34 AB **5** **Unter der Woche gibt es oft Gemüse.**

a **Wer sagt das? Was meinen Sie? Ordnen Sie zu. Hören Sie dann die Statements und vergleichen Sie.**

1 Astrid (A)

2 Peter (P)

3 Hannes (H)

4 Nina (N)

(A) Wenn Gäste kommen, brate ich Fleisch oder Fisch.
◯ Wenn meine Freunde kommen, dann dürfen wir uns auch mal ein Eis aus dem Kühlschrank holen.
◯ Ich liebe es, wenn wir alle zusammensitzen.
◯ Wenn es warm ist, essen wir meist Salat.
◯ Wenn wir uns abends einen Film ansehen, dann macht Mama oft einen Teller mit Obst und Schokolade.
◯ Wenn es schnell gehen muss, gibt es auch mal eine Pizza.
◯ Ich backe einen Kuchen, wenn jemand Geburtstag hat.
◯ Wenn ich Geburtstag habe, darf ich mir ein Essen aussuchen.

Spiel & Spaß

b **Lesen Sie die Sätze aus a noch einmal und ergänzen Sie.**

GRAMMATIK

Wenn	es warm	______, (dann)	______	______	meist Salat.
Wenn	es schnell gehen	______, (dann)	______	______	auch mal eine Pizza.
______	______	meist Salat,	wenn	es warm	______.
______	______	auch mal eine Pizza,	wenn	es schnell gehen	______.

AB **6** **Ihre Ess- und Kochgewohnheiten: Was kochen Sie, wenn …?**
Arbeiten Sie zu dritt auf Seite 92.

Beruf

AB | interessant?

7 Ihr Lebensmittelkonsum. Ergänzen Sie den Fragebogen und machen Sie sich Notizen. Erzählen Sie dann im Kurs.

Ich esse/trinke ...	zu viel	viel/oft	genug	wenig/selten	zu wenig	nie
Brot und Getreideprodukte		X				
Obst		X				
Gemüse						
Milchprodukte						
Fleisch	X (Rind, ...)					
Wurst						
Fisch						
Wasser						
Tee						
Alkohol						

Ich esse oft Brot und Vollkornnudeln. Und ich esse viel Obst und Gemüse. Zum Frühstück esse ich jeden Tag einen Obstsalat und abends koche ich Gemüse. Ich esse aber wahrscheinlich zu viel Fleisch, vor allem Rind und Huhn. Schweinefleisch esse ich nie.

Audiotraining | Karaoke

GRAMMATIK

Konjunktion: wenn	
Nebensatz	**Hauptsatz**
Wenn es warm ist,	(dann) essen wir meist Salat.
Wenn es schnell gehen muss,	(dann) gibt es auch mal eine Pizza.
Hauptsatz	**Nebensatz**
Wir essen meist Salat,	wenn es warm ist.
Es gibt auch mal eine Pizza,	wenn es schnell gehen muss.

KOMMUNIKATION

Überraschung ausdrücken	
Ich finde es komisch / Es ist komisch, dass ... Es wundert/überrascht mich, dass ... Es war mir (nicht) klar, dass ... Ich habe gedacht, dass ...	Ja, das ist komisch. Aber bei uns ist das auch so. Bei uns / In Brasilien / In meiner Heimat ... ist das anders. Wir essen ... Wirklich?/Komisch! Das wundert/überrascht mich (auch).

etwas vergleichen
Bei uns / In Brasilien / In meiner Heimat ... ist das auch so / ist das anders / essen/trinken wir ...

Essen & Leben – der „gesunde" Blog

Schlemmen und gleichzeitig fit bleiben? Geht das überhaupt? Ja! Denn Genuss und gesundes Essen sind keine Gegensätze. Bei **Essen & Leben** finden Sie über 2000 Rezepte für jeden Tag und jeden Geschmack. Dabei achten wir sehr auf gesunde und saisonale Zutaten. Egal ob Frühling, Sommer, Herbst oder Winter – so kaufen Sie immer gut und günstig ein.
Und so funktioniert unser Blog: Holen Sie sich unsere Einkaufsliste auf Ihr Handy. Kaufen Sie frische Zutaten ein. Drucken Sie Ihr Lieblings-Rezept aus. Schritt für Schritt erklären wir die Zubereitung. Egal ob für die Single-Küche, ein festliches Abendessen für Gäste oder eine Party – noch nie war Kochen so einfach!

Tagesrezept

Leicht und gesund: Karotten
Zubereitungszeit: 25 Minuten • 99 Kalorien
Karotten haben einen hohen Vitamin-A-Gehalt und sie sind gesund für Haut und Knochen.

Wir zeigen Ihnen ein Rezept mit Zwiebeln und Honig:
Schritt 1: Ca. 400 g Karotten waschen und schälen. Eventuell ein bisschen Grün stehen lassen.
Schritt 2: Eine kleine Zwiebel schälen und fein würfeln.
Schritt 3: Etwas Butter in einer Pfanne erhitzen. Karotten und Zwiebeln bei mittlerer Hitze andünsten. Ab und zu wenden.
Schritt 4: Zwei TL Honig dazugeben. Mit Salz und Pfeffer würzen.
Schritt 5: 150 ml Gemüsebrühe dazugießen. 10–15 Min. kochen lassen.

Download: Einkaufszettel / Rezept

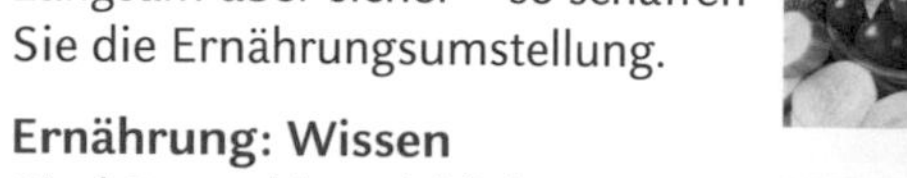

Thema des Tages
Langsam aber sicher – so schaffen Sie die Ernährungsumstellung.

Ernährung: Wissen
Sind Smoothies wirklich so gesund wie Obst? Oder schadet der hohe Zucker- und Säuregehalt den Zähnen?

Tipps
Herbstliche Tischdekoration mit Äpfeln und Zweigen.
Für einen gelungenen Abend mit Gästen. Denn das Auge isst mit!

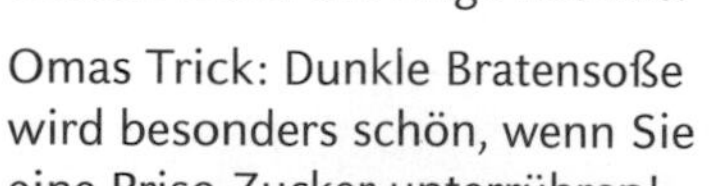

Omas Trick: Dunkle Bratensoße wird besonders schön, wenn Sie eine Prise Zucker unterrühren!

Jeden Tag ein Apfel!
Äpfel sind nicht nur gesund, Sie helfen auch beim Abnehmen und versorgen uns mit wichtigen Vitaminen.
Hier erfahren Sie alles über die verschiedenen Sorten – von Boskop bis zu Jonagold.

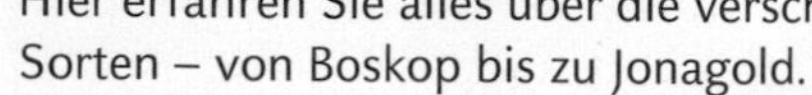

1 Was ist richtig? Lesen Sie und kreuzen Sie an.

a In dem Blog finden Sie Rezepte. Aber nicht alle sind auch gesund. ○
b Von der Webseite können Sie Einkaufslisten und Rezepte herunterladen. ○
c Egal, ob Sie für eine oder viele Personen kochen möchten – auf der Webseite finden Sie immer ein passendes Rezept. ○
d Für das Karotten-Rezept brauchen Sie über eine halbe Stunde. ○
e Auf der Webseite kann man auch etwas über gesunde Ernährung lernen. ○

2 Nutzen Sie solche Seiten im Internet? Wenn ja, auf welchen Seiten informieren Sie sich besonders häufig?

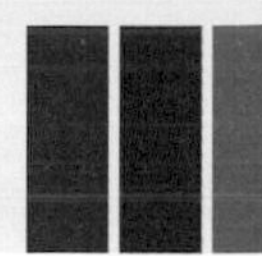

1 Wie wird das „Luna" bewertet?

Lesen Sie die Restaurantkritik und ergänzen Sie die Tabelle.

Restaurantkritik

Restaurants in Hamburg

Das „Luna" im Schanzenviertel: charmanter Ort mit sehr guter Küche

Küche: international
Öffnungszeiten: täglich von 11:30 Uhr bis 1:00 Uhr, Sonntag Ruhetag

Im Schanzenviertel hat letzten Monat das Luna aufgemacht. Das Restaurant möchte seinen Gästen hochwertige internationale Küche in charmanter Atmosphäre anbieten. Und das gelingt ihnen auch: Das Luna ist stilvoll und sehr modern eingerichtet. Besonders schön sitzt man auf der Terrasse. Leider gibt es dort nur wenige Plätze, bei schönem Wetter sollte man also reservieren. Der Service war ganz gut: Die Kellner sind wirklich sehr freundlich und hilfsbereit bei der Auswahl des Menüs. Leider waren sie nicht besonders schnell. Auf die Getränke haben wir mehr als 20 Minuten gewartet.
Das Essen ist dafür aber ein Traum: Mit 27 Euro für ein vegetarisches Menü und 33 Euro für ein Menü mit Fleisch ist das Essen zwar nicht besonders preiswert, aber sehr empfehlenswert. Unser persönliches Highlight war der Spargelsalat mit Ei und Kräutern, aber auch alle anderen Gerichte haben uns super geschmeckt.
Wenn Sie also in entspannter Atmosphäre gut essen möchten, dann sind Sie im Luna genau richtig.

Frauke

12 Bewertungen

****** ☺ ☺ ☺
* ☹ ☹ ☺

Essen	*****	
Atmosphäre	*****	stilvoll + modern eingerichtet
Service	***	
Preis	****	

2 Restaurants in Ihrer Stadt

a Arbeiten Sie in Gruppen: Welches Restaurant können Sie empfehlen / nicht empfehlen? Einigen Sie sich auf ein Restaurant. Diskutieren Sie dann über die Restaurantbewertung und ergänzen Sie.

Pizzeria Roma

Essen		
Atmosphäre		
Service		
Preis		

■ Die Pizzen sind total lecker.
● Ja, das finde ich auch. Für das Essen würde ich fünf Sterne geben.
▲ Ja, einverstanden. Und wie findet ihr die Atmosphäre? ...

b Präsentieren Sie Ihr Restaurant im Kurs und machen Sie einen Restaurantführer im Kurs.

AUSKLANG

Liebe geht durch den Magen

1 Ich weiß, ___________ ich kein Traummann bin
___________ ich fühle mich auch nicht als Genie.
Ich weiß, ___________ ich keinen Sixpack hab'
___________ den Marathonlauf, den schaff' ich nie.
Aber ___________ ich in meine Küche geh',
fühl' ich mich plötzlich so sicher und frei.
Und ___________ ich dann in meiner Küche steh',
geht alles ganz einfach: eins, zwei, drei!

REFRAIN

Eins! ... Zuerst die Vorspeise.
Zwei! ... Und dann die Hauptspeise.
Drei! ... Danach die Nachspeise.
Und am Ende gibt es keine Fragen mehr,
denn jeder sollte wissen, bitte sehr:
Liebe geht durch den Magen.
Komm, lass es dir von mir sagen.
Da kannst du jeden Koch fragen.
Liebe geht durch den Magen.

2 Es ist wahr, ___________ er nicht so toll aussieht
und ___________ er oft ‚äh' macht, ___________ er was sagt.
Es stimmt, ___________ er nichts von Mode versteht
und ___________ er keinen sportlichen Körper hat.
Aber all diese Fehler stören mich nicht
und ___________ er mich einlädt, freu' ich mich sehr,
___________ bei ihm ist ein Menü wie ein Liebesgedicht
und ___________ du's mal probiert hast, dann willst du mehr!

▶1 35 **1 Lesen Sie den Text und ergänzen Sie *dass, denn, und* oder *wenn*. Hören Sie dann das Lied und vergleichen Sie.**

▶1 35 **2 Hören Sie noch einmal und singen Sie mit. Die Männer singen die erste Strophe und den Refrain, die Frauen die zweite Strophe und den Refrain.**

KB | S. 10

Würfelspiel: Sind das eure Schlüssel?

- Arbeiten Sie zu viert.
- Würfeln Sie und ziehen Sie mit Ihrer Spielfigur.
- Würfeln Sie dann noch einmal. Welchen Possessivartikel müssen Sie nehmen?

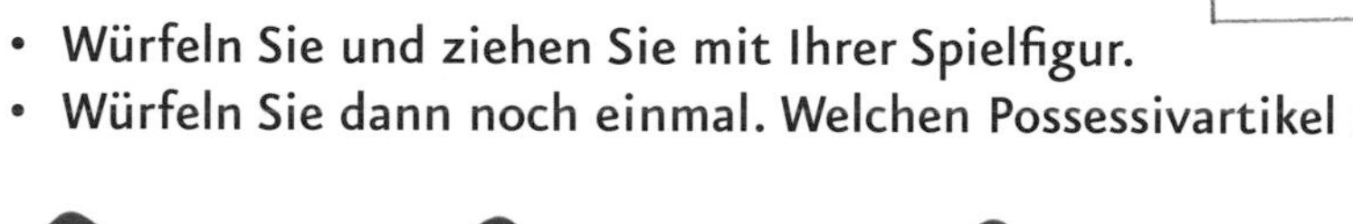

mein — sein/ihr — euer

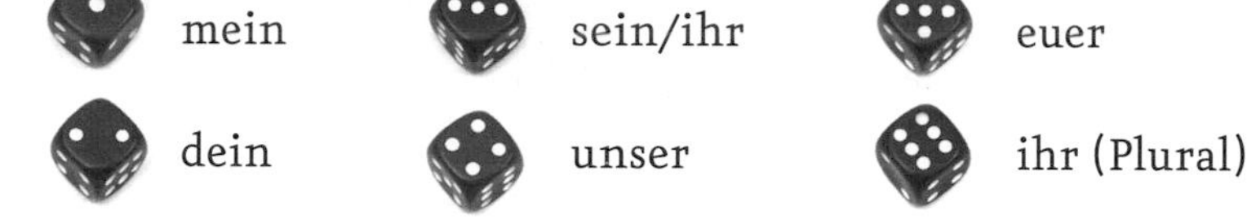

dein — unser — ihr (Plural)

- Machen Sie einen Satz. Die anderen überprüfen. Ist der Satz richtig? Dann bekommen Sie einen Punkt.
- Spielen Sie 10 Minuten. Wer hat die meisten Punkte?

■ Gefällt dir sein Handy?
▲ Gut, der Satz ist richtig. Du bekommst einen Punkt.

■ Ich bezahle fast immer mit meiner Kreditkarte.
▲ Du bekommst auch einen Punkt.

Wahrheitsspiel

a **Bilden Sie zwei Mannschaften (Mannschaft A und Mannschaft B). Wählen Sie eine Ihrer Fragen aus 6b und stellen Sie sie einer Person aus der anderen Mannschaft. Beantwortet die Person die Frage mit *Ja*, bekommt Ihre Mannschaft einen Punkt.**

b **Die Person aus der anderen Mannschaft kann nun auch Punkte sammeln: Erzählen Sie etwas mehr: Wann war das? Wo war das? …**

Sie haben 90 Sekunden Zeit und erhalten einen Punkt für jeden weiteren Satz.

KB | S. 14

Zimmer beschreiben: Unterschiede finden

Partner A

Beschreiben Sie Ihr Bild. Ihre Partnerin / Ihr Partner beschreibt ihr/sein Bild. Wie viele Unterschiede finden Sie in zehn Minuten? Notieren Sie.

- ■ In meinem Zimmer hängt ein Bild an der Wand.
- ▲ Bei mir auch. Wo hängt es?
- ■ Über dem Bett.
- ▲ Bei mir hängt das Bild über dem Schreibtisch.

- ▲ In meinem Zimmer hängen Vorhänge vor dem Fenster. Sie sind weiß.
- ■ Bei mir ...

1. Bild über dem Bett / Bild über dem Schreibtisch
2. ...

Variante:
Erzählen Sie von Ihrem Wohnzimmer. Ihre Partnerin / Ihr Partner erzählt von ihrem/seinem Wohnzimmer. Wie viele Gemeinsamkeiten finden Sie in zehn Minuten?

KB | S. 19

Lektion 3 | 5

Landschaften beschreiben: In der Mitte ist ein See.

a Arbeiten Sie zu dritt. Zeichnen Sie eine Landschaft. Beschreiben Sie Ihre Landschaft. Ihre Partner zeichnen mit.

In der Mitte ist ein See. Hinter dem See ist ein Wald. Im Wald ist ein Weg. Hinter dem Wald sind Berge. In den Bergen sieht man ein Dorf. Das Dorf ist klein und hat nicht viele Häuser ...

b Machen Sie eine Ausstellung. Welche drei Zeichnungen passen zusammen?

- ■ Ich glaube, die beiden Zeichnungen passen zusammen. Auf den Zeichnungen ist ein See in der Mitte.
- ▲ Ja, und diese Zeichnung passt auch dazu. Hier sieht man auch ein Dorf in den Bergen. ...

Ein Zimmer einrichten: Wohin sollen die Sachen?

Partner A

Ihre Freunde helfen Ihnen beim Umzug. Wo sollen die Sachen hin? Ihre Partnerin / Ihr Partner fragt. Beschreiben Sie die Zeichnung.

- ■ Wohin soll ich den Spiegel stellen?
- ▲ Stell ihn erstmal rechts an die Wand.
- ■ Und wo soll das Bett stehen?
- ▲ Das Bett soll …

Sie helfen Ihren Freunden beim Umzug. Wohin sollen die Sachen? Fragen Sie Ihre Partnerin / Ihren Partner und zeichnen Sie.

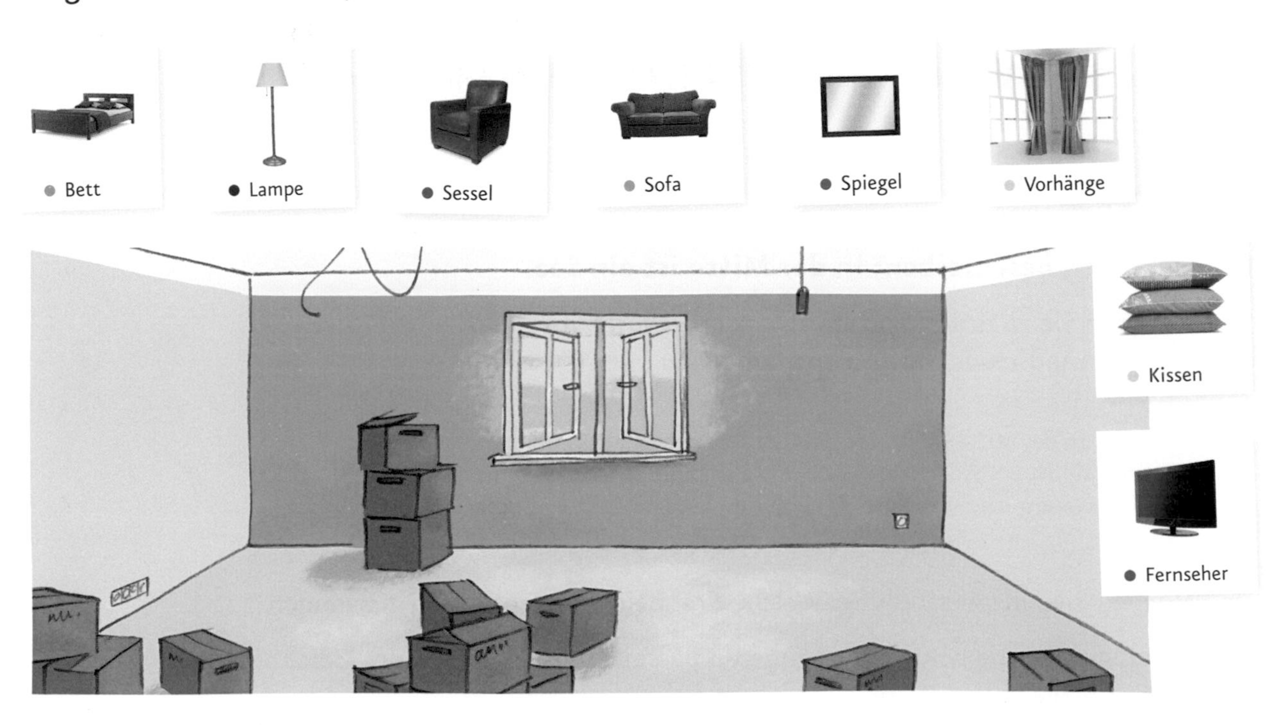

KB | S. 14 Lektion 2 | 4

Zimmer beschreiben: Unterschiede finden

Partner B

Beschreiben Sie Ihr Bild. Ihre Partnerin / Ihr Partner beschreibt ihr/sein Bild.
Wie viele Unterschiede finden Sie in zehn Minuten? Notieren Sie.

- ■ In meinem Zimmer hängt ein Bild an der Wand.
- ▲ Bei mir auch. Wo hängt es?
- ■ Über dem Bett.
- ▲ Bei mir hängt das Bild über dem Schreibtisch.

- ▲ In meinem Zimmer hängen Vorhänge vor dem Fenster. Sie sind weiß.
- ■ Bei mir ...

1. Bild über dem Bett / Bild über dem Schreibtisch
2. ...

Variante:

Erzählen Sie von Ihrem Wohnzimmer. Ihre Partnerin / Ihr Partner erzählt von ihrem/seinem Wohnzimmer. Wie viele Gemeinsamkeiten finden Sie in zehn Minuten?

KB | S. 15 Lektion 2 | 6

Ein Zimmer einrichten: Wohin sollen die Sachen?

Partner B

**Sie helfen Ihren Freunden beim Umzug. Wo sollen die Sachen hin?
Fragen Sie Ihre Partnerin / Ihren Partner und zeichnen Sie.**

- ■ Wohin soll ich den Spiegel stellen?
- ▲ Stell ihn erstmal rechts an die Wand.
- ■ Und wo soll das Bett stehen?
- ▲ Das Bett soll ...

**Ihre Freunde helfen Ihnen beim Umzug. Wohin sollen die Sachen?
Ihre Partnerin / Ihr Partner fragt. Beschreiben Sie.**

KB | S. 19 **Lektion 3 | 4**

Wörter im Text verstehen

Sehen Sie die markierten Wörter an: 15 sind falsch und 5 sind richtig. Finden Sie die Fehler und ergänzen Sie die richtigen Wörter aus dem Kasten.

anders | außerdem | beginnt | ~~Ruhe~~ | direkt | Dörfer | Erfahrung | Fahrt | Gruppen | Landschaft | Luft | Mode | Service | Tiere | Wälder

Ⓐ

Zu viel Stress? Alles zu schnell? Stopp!

Hier finden Sie ~~Stress~~ Ruhe, **Entspannung** und **Erholung**: Auf dem **Öko-Wellness-Bauernhof** von Johann und Theresia Lindthaler gehen die Uhren schneller.

Bei uns gibt es keine Termine. Hier muss nichts schnell gehen. Sie dürfen langsam sein, lange schlafen, lange frühstücken, unseren Bergkräutertee, unsere Original-Heudampfbäder und unsere gute Zeit genießen. Wandern Sie über hellgrüne Wiesen, durch dunkelgrüne Hügel und Sie werden erleben: Hier auf dem Lindthaler-Hof ist die Welt noch in Ordnung.

Und wenn Sie doch mal einen Einkaufsbummel machen wollen? Dann fahren Sie einfach ins Inntal hinunter: Mit dem Auto sind es nur 15 Minuten nach Innsbruck.

Herzlich willkommen! *Ihre Familie Lindthaler*

Ⓑ

Du möchtest KITE-SURFEN lernen ...?

Na, dann komm doch gleich zu uns nach Pepelow am Salzhaff!!
Du hast die Motivation, wir haben die Ruhe.

Unsere Segel- und Surf-Schule **‚WINDKIND'** ist der ideale Ort für dich:

- hier gibt es Unterricht für Anfänger und Fortgeschrittene
- unsere Kurse sind nicht teuer
- unsere Campingplätze sind klein
- wir sind den ganzen Tag draußen: am Strand und auf dem Meer
- alle unsere Lehrer machen ihren Job wirklich gern
- leider haben wir (fast) immer Wind
- und du bekommst bei uns die neueste Surf-Fahrt zu absoluten Top-Preisen

Also, worauf wartest du noch? Melde dich hier an!
‚WINDKIND', so soll es sein:
Spaß ganz groß & Preise klein!

Ⓒ

VELO-MANN

Ihr sympathischer Velovermieter am Bodensee.

Es gibt viele Velo-Touren am Schweizer Bodensee zwischen Kreuzlingen und Rohrschach.

Zum Beispiel können Sie am Ufer entlang fahren und ohne Anstrengung den Blick auf den See genießen. Oder Sie machen eine Wanderung über die Hügel und durch die Großstädte und sehen im Süden die Schweizer Alpen und im Norden den ganzen See.

Wir von VELO-MANN kennen alle Touren und beraten Sie sehr gern.

Bei uns bekommen Sie Karten, Tipps, Ausrüstung und natürlich ... Fahrräder! VELO-MANN, der Velovermieter mit dem EXTRA-PREIS!

Ⓓ

N&K-Reisen

NATUR & KULTUR

Landschafts- und Städterreisen

Sie sind Naturliebhaber?
Sie hören gern Frösche quaken und Vögel singen?
Sie sind offen für die Kultur und für Pflanzen und Sehenswürdigkeiten am und im Wasser?
Aber: Sie sind auch Großstadt-Fan und genießen gerne mal einen Stadtbummel?

WASSERWANDERN SPREE – BERLIN

Dann haben wir ein Superangebot für Sie: Fahren Sie mit dem Kajak in fünf bis sieben Tagen vom Spreewald bis nach Berlin. Die Tour fährt auf der Spree in Lübben und endet auf dem Langen See in Berlin-Köpenick. Sie übernachten im Zelt auf Campingplätzen schön am Wasser. Sprechen Sie mit uns. Wir machen Ihnen ein Angebot genau nach Ihren Wünschen.

Variante:
Lösen Sie die Aufgabe ohne Auswahlkasten.

KB | S. 27 Lektion 4 7b

Einkaufsgespräche üben: Geben Sie mir bitte ...

Partner A

a Ergänzen Sie.

Ich brauche ... | Kann ich Ihnen helfen? | Möchten Sie sonst noch etwas? | Wie viel darf es sein?

Verkäufer/-in	Kunde/Kundin
■ Guten Tag. Was darf es sein? / ______	
	▲ (Ja,) Ich hätte gern ... / Ich möchte gern ... / ______
■ Möchten Sie gern ...? Der/Die/Das ist / Die sind heute im Angebot.	
	▲ Ja, gern.
______	
	▲ Ein halbes Pfund / ... Gramm / ... Stück, bitte.
■ Gern. Darf es noch etwas sein? / Gern. ______	
	▲ Nein, danke. Das ist alles.

b Rollenspiel: Kaufen Sie ein.

Ich hätte gern einen mageren Schinken.

Möchten Sie gern einen spanischen Schinken? Der ...

1 Sie sind Verkäufer/-in:

An der Wursttheke
im Angebot:
Schinken – spanisch

An der Wursttheke
im Angebot:
Salami – italienisch

2 Sie sind Kunde/Kundin:

Im Obst- und Gemüseladen
gelbe Paprika – 3 Stück

Im Teeladen
grünen Tee – 250 Gramm

Variante:
Schreiben Sie zu zweit ein Einkaufsgespräch und zerschneiden Sie es.
Tauschen Sie die Puzzleteile mit einem anderen Paar und sortieren Sie.

KB | S. 31 **Lektion 5** 6

Adjektiv-Quartett

a Machen Sie 20 Quartettkarten.

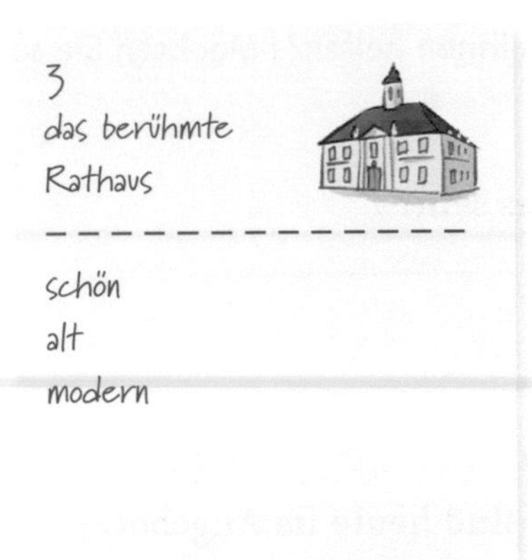

das Rathaus : schön – alt – berühmt – modern

der Supermarkt : teuer – billig – groß – neu

die Kirche : klein – schön – bekannt – groß

die Läden : klein – teuer – billig – schick

das Museum : neu – berühmt – alt – groß

b Verteilen Sie die Karten und spielen Sie zu dritt oder zu viert. Gewonnen hat die Spielerin / der Spieler mit den meisten Quartetten.

■ Ich brauche das alte Rathaus? Hast du das?
▲ Ja, hier bitte. / Nein, tut mir leid. Das alte Rathaus habe ich nicht.
Ich brauche …

KB | S. 27 Lektion 4 7b

Einkaufsgespräche üben: Geben Sie mir bitte ...

Partner B

a Ergänzen Sie.

Ich brauche ... | Kann ich Ihnen helfen? | Möchten Sie sonst noch etwas? | Wie viel darf es sein?

Verkäufer/-in	Kunde/Kundin
■ Guten Tag. Was darf es sein? / ______	
	▲ (Ja,) Ich hätte gern ... / Ich möchte gern ... / ______
■ Möchten Sie gern ...? Der/Die/Das ist / Die sind heute im Angebot.	
	▲ Ja, gern.
______	
	▲ Ein halbes Pfund / ... Gramm / ... Stück, bitte.
■ Gern. Darf es noch etwas sein? / Gern. ______	
	▲ Nein, danke. Das ist alles.

b Rollenspiel: Kaufen Sie ein.

Ich hätte gern einen mageren Schinken.

Möchten Sie gern einen spanischen Schinken? Der ...

1 Sie sind Kunde/Kundin:

An der Wursttheke
mageren Schinken –
150 Gramm

An der Wursttheke
scharfe Salami –
ein halbes Pfund

2 Sie sind Verkäufer/-in:

Im Obst- und Gemüseladen
im Angebot:
Paprika – ungarisch

Im Teeladen
im Angebot:
Tee – chinesisch

Variante:
Schreiben Sie zu zweit ein Einkaufsgespräch und zerschneiden Sie es. Tauschen Sie die Puzzleteile mit einem anderen Paar und sortieren Sie.

Nach Zeiträumen fragen

Paar A

a **Lesen Sie das Porträt und die Antworten zum Text. Notieren Sie zu zweit die passenden Fragen.**

Selina Wyss arbeitet seit 25 Jahren als Schauspielerin. Seit 2010 arbeitet sie in München. Doch vor drei Monaten hat sie ein Angebot aus Zürich bekommen. Vom 1. August an steht sie im Schauspielhaus Zürich auf der Bühne. Sie freut sich sehr, denn sie ist Schweizerin und hat schon über 20 Jahre nicht mehr in 5 der Schweiz gelebt. Außerdem hat sie als junge Schauspielerin schon einmal für drei Jahre in Zürich gearbeitet und hat daher noch viele Freunde und Bekannte dort. Sie hat auch schon eine schöne Wohnung gefunden und zieht am 15. Juli um. Vor dem Umzug macht sie noch drei Wochen Urlaub. In der ersten Woche besucht sie wie immer enge Freunde am Bodensee. Das macht sie schon seit 10 vielen Jahren. Vom 24. Juni bis zum 8. Juli fliegt sie in den Süden. Dieses Jahr geht es nach Mallorca. Dort war sie schon einmal, aber das war schon vor über 10 Jahren. Wie sieht die Insel heute wohl aus? Sie ist sehr gespannt.

Seit 25 Jahren.	*Seit wann arbeitet Selina Wyss als Schauspielerin?*
Vor drei Monaten.	
Über 20 Jahre.	
Am 15. Juli.	
Drei Wochen.	
Seit vielen Jahren.	
Vor über 10 Jahren.	

b **Stellen Sie Paar B Ihre Fragen aus a.**

- ■ Seit wann arbeitet Selina Wyss als Schauspielerin?
- ● Sie arbeitet seit 25 Jahren als Schauspielerin.

c **Beantworten Sie nun die Fragen von Paar B.**

KB | S. 35 **Lektion 6** 6b

Sich verabreden: Ja gut, dann treffen wir uns ...

Rollenspiel: Wählen Sie eine Veranstaltung auf Seite 34 und rufen Sie Ihre Partnerin / Ihren Partner an.

Partner A | **Partner B**

■ Hallo ...
Hier ist ...
Wie geht's denn so?

▲ Hallo ...
Danke ...

■ Ich habe mal eine Frage:
Nächste Woche / Anfang August fahre ich ...
Möchtest du nicht mitkommen? /
Hast du Lust/Zeit? /
Lass uns doch mal wieder etwas zusammen machen/...? /
Was hältst du davon?

▲ Ja, Lust habe ich schon. /
Ja, das ist eine gute Idee. /
Aber ist das nicht ziemlich teuer?

■ Nein, ...

▲ Wann genau willst du denn hinfahren? /
Wann genau ist das denn?

■ Am/Um ... /
Geht es bei dir am/um ...? /
Wollen wir ...

▲ Ja okay, das passt.
Wollen wir schon einen Treffpunkt ausmachen?

■ Ach, das können wir doch auch später noch machen. /
Ach, lass uns doch nächste Woche noch einmal telefonieren.
Wie wäre es mit ...?

▲ Einverstanden! /
Ja gut, dann treffen wir uns ...

■ Prima! Ich freue mich!

▲ Ja, ich auch.
Dann bis ...

Nach Zeiträumen fragen

Paar B

a Lesen Sie das Porträt und die Antworten zum Text. Notieren Sie zu zweit die passenden Fragen.

Selina Wyss arbeitet seit 25 Jahren als Schauspielerin. Seit 2010 arbeitet sie in München. Doch vor drei Monaten hat sie ein Angebot aus Zürich bekommen. Vom 1. August an steht sie im Schauspielhaus Zürich auf der Bühne. Sie freut sich sehr, denn sie ist Schweizerin und hat schon über 20 Jahre nicht mehr in 5 der Schweiz gelebt. Außerdem hat sie als junge Schauspielerin schon einmal für drei Jahre in Zürich gearbeitet und hat daher noch viele Freunde und Bekannte dort. Sie hat auch schon eine schöne Wohnung gefunden und zieht am 15. Juli um. Vor dem Umzug macht sie noch drei Wochen Urlaub. In der ersten Woche besucht sie wie immer enge Freunde am Bodensee. Das macht sie schon seit 10 vielen Jahren. Vom 24. Juni bis zum 8. Juli fliegt sie in den Süden. Dieses Jahr geht es nach Mallorca. Dort war sie schon einmal, aber das war schon vor über 10 Jahren. Wie sieht die Insel heute wohl aus? Sie ist sehr gespannt.

Seit 25 Jahren.	*Seit wann arbeitet Selina Wyss als Schauspielerin?*
Seit 2010.	
Vom 1. August an.	
Für drei Jahre.	
Vor dem Umzug.	
In der ersten Woche.	
Vom 24. Juni bis zum 8. Juli.	

b Beantworten Sie die Fragen von Paar A.

- ■ Seit wann arbeitet Selina Wyss als Schauspielerin?
- ● Sie arbeitet seit 25 Jahren als Schauspielerin.

c Stellen Sie nun Paar A Ihre Fragen aus a.

KB | S. 43 **Lektion 7** 7

Forum – Abnehmen: Geben Sie Ratschläge.

a Was passt? Lesen Sie die Forumstexte. Wer rät was? Kreuzen Sie an.

	Naschkatze	Elke 42
1 Man kann auch Schokolade essen.	○	○
2 Man sollte unbedingt auf das Essen achten.	○	○
3 Sport ist am wichtigsten.	○	○
4 Diätprodukte helfen nicht.	○	○

HILFE! ICH NEHME EINFACH NICHT AB.

Lisa1992

Hallo,
ich bin neu hier und hoffe, ihr könnt mir etwas empfehlen. Ich habe mit einem Diätgetränk aus der Apotheke in einem Monat drei Kilo abgenommen und war echt glücklich! ☺ Aber nach nur fünf Wochen hatte ich wieder mein altes Gewicht. ☹ Ich würde gern 5 Kilo abnehmen. Habt ihr einen Tipp für mich?

Naschkatze

Du solltest viel Sport machen, jeden Tag mindestens eine halbe Stunde. Dann bist du bald fit und schlank. Das Essen ist nicht so wichtig, du kannst auch mal ein Stück Schokolade essen. Hauptsache, du machst jeden Tag Sport! ☺

Elke42

Man muss nicht jeden Tag Sport machen. Ich fahre oft mit dem Fahrrad zur Arbeit und gehe einmal pro Woche zum Yoga.
Am wichtigsten ist eine gesunde Ernährung! Du könntest morgens Obst essen, mittags Reis, Nudeln oder Kartoffeln mit Gemüse oder Fisch und abends einen Salat. Und kauf keine Diätgetränke mehr! Sie helfen nicht.

b **Arbeiten Sie zu zweit und machen Sie Notizen zu den Fragen. Schreiben Sie dann auch eine Antwort auf den Beitrag von Lisa1992.**

1 Wie oft und welchen Sport sollte Lisa machen?

2 Was sollte Lisa bei der Ernährung beachten?

3 Haben Sie noch einen weiteren Tipp für Lisa?

KB | S. 47 **Lektion 8 | 5**

Gründe angeben: Ich kann heute nicht zur Arbeit kommen, weil ich Fieber habe.

- Arbeiten Sie zu viert. Würfeln Sie und wählen Sie den Satzanfang in der passenden Spalte.
- Suchen Sie dann einen passenden Satzteil in der anderen Spalte und bilden Sie Sätze mit *weil* oder *deshalb*. Ist der Satz richtig? Dann bekommen Sie einen Punkt.
- Spielen Sie fünf Minuten. Gewonnen hat die Person mit den meisten Punkten.

Folgen   	Gründe  
heute nicht zur Arbeit kommen	Fieber haben
einen Termin beim Zahnarzt brauchen	Probleme mit dem Herz haben
ins Krankenhaus müssen	Arzt im Urlaub sein
in die Apotheke gehen	Kopfschmerztabletten brauchen
nach Hause fahren	Grippe haben
dem Arzt nicht glauben	die Untersuchung so kurz sein
Praxis keine Sprechstunde haben	Zahnschmerzen haben
Kamillentee trinken	Mutter ins Krankenhaus müssen
nicht tanzen gehen	erkältet sein

■ Ich kann heute nicht zur Arbeit kommen, weil ich Grippe habe.
▲ Das ist richtig, Anna. Dafür bekommst du einen Punkt.

▲ Ich habe Fieber. Deshalb kann ich nicht zur Arbeit kommen.
■ Ja, richtig. Du bekommst auch einen Punkt.

KB | S. 63 **Lektion 11 | 5**

Aus Alt mach Neu: Woraus sind diese Produkte?

Sehen Sie die Fotos an und raten Sie. Hilfe finden Sie im Kasten.
Die Lösung finden Sie auf Seite 92.

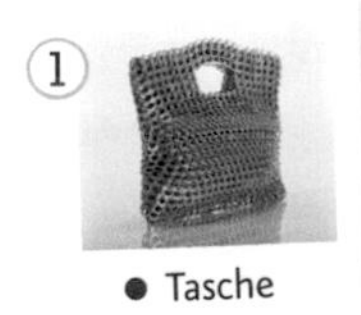
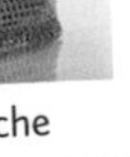
① ● Tasche

② ● Bilderrahmen

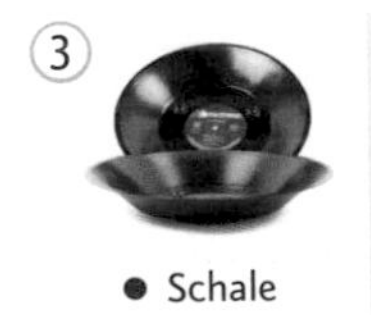
③ ● Schale

④ ● Stuhl

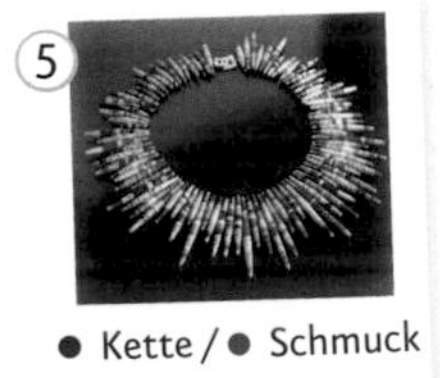
⑤ ● Kette / ● Schmuck

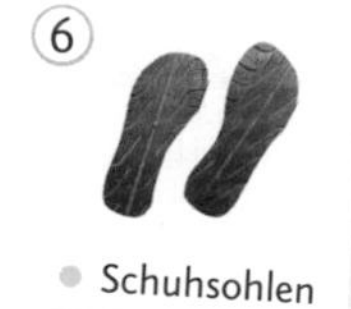
⑥ ● Schuhsohlen

Autoreifen  | Dosen | Dosenclips  | Papier | Plastikflaschen | Plastiktüten | Schallplatten  | Stoff  | Getränkeverpackungen | Holz | Metall

■ Ich glaube, dass die Bilderrahmen aus Holz sind.
▲ Meinst du? Das glaube ich nicht. Ich denke, die Bilderrahmen sind aus …

KB | S. 51 **Lektion 9 | 6**

Fragebogen: Wie soll Ihre Arbeit sein? Was ist Ihnen wichtig?
Kreuzen Sie an und fragen Sie dann Ihre Partnerin / Ihren Partner. Haben Sie etwas gemeinsam?

	Ist mir … / Sind mir …					
	… sehr wichtig		**… wichtig**		**… nicht so wichtig**	
	Ich	Meine Partnerin / Mein Partner	Ich	Meine Partnerin / Mein Partner	Ich	Meine Partnerin / Mein Partner
angestellt sein						
selbstständig sein						
feste Arbeitszeiten						
flexible Arbeitszeiten						
Teilzeit arbeiten						
ein guter Lohn						
viel Urlaub						
Erfolg						
im Team arbeiten						
allein arbeiten						
nette Kollegen						
drinnen arbeiten						
draußen arbeiten						
im Ausland arbeiten						
viel reisen						

- ■ Ich möchte gern angestellt sein.
- ▲ Ist dir das wichtig?
- ■ Ja, das ist mir sehr wichtig. Und dir? Ist dir das auch wichtig?
- ▲ Nein, mir ist das nicht so wichtig. …

KOMMUNIKATION

Ich möchte gern …	Ist dir das wichtig?
Ja, das ist mir sehr wichtig. / Ja, sehr. Und dir?	Mir ist das auch wichtig / nicht so wichtig.
Und …? Wie wichtig ist/sind dir das/die?	Das /Die ist/sind mir nicht /sehr/schon wichtig.

Im Restaurant: Schade, dass es kein ... gibt.

a **Lesen Sie die Speisekarte. Was nehmen/mögen Sie? Sprechen Sie zu dritt über die Speisekarte.**

SUPPEN UND VORSPEISEN

Paprikasuppe 4,00

Französische Fischsuppe 8,00

Gebackener Schafskäse mit Tomaten und Zwiebeln 7,50

SALATE

Kleiner gemischter Salat 4,50

Großer Salat mit Schafskäse und Oliven 8,50

HAUPTGERICHTE

Steak in Pfeffersoße mit Pommes frites und Salat 16,90

Schnitzel „Wiener Art“ mit Bratkartoffeln und Salat 12,90

Hähnchenbrust mit Reis und Gemüse 11,90

Labskaus „Seemannsart“ mit Spiegelei, Gewürzgurke und Hering 12,90

DESSERT

Obstsalat mit Eis 4,50

Rote Grütze mit Vanillesoße 4,50

■ Was nimmst du?
▲ Ich weiß noch nicht. Schade, dass es kein/... gibt.
● Ja, aber schön, dass es ... gibt.
Ich denke, dass ich ... nehme. Und du?

KB | S. 63 **Lektion 11 | 7**

Aktivitäten-Bingo: Triffst du dich abends oft mit deinen Freunden?

a **Wählen Sie ein Verb und spielen Sie es pantomimisch vor. Die anderen raten.**

sich freuen | sich ärgern  | sich mit jemandem streiten  | sich erinnern | sich beschweren | sich mit jemandem gut verstehen | sich unterhalten | sich mit jemandem treffen | sich ausruhen

- ■ Was mache ich?
- ▲ Ärgerst du dich?
- ■ Nein.
- ● Beschwerst du dich?
- ■ Ja, das ist richtig.

b **Suchen Sie Personen im Kurs und notieren Sie die Namen. Wer hat zuerst drei Personen?**

Variante 1: senkrecht

Variante 2: waagerecht 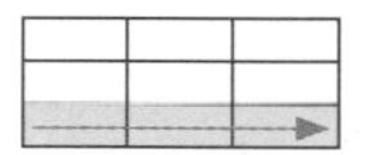

Variante 3: diagonal 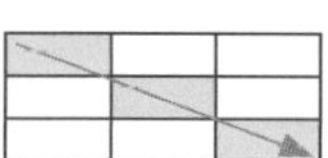

oft	manchmal	fast nie
sich freuen	sich ärgern	sich mit Freunden streiten
sich an die erste Deutschstunde erinnern	sich im Restaurant beschweren	sich gut mit Kollegen verstehen
sich mit den Nachbarn unterhalten	sich abends mit Freunden treffen	sich am Wochenende zu Hause ausruhen

- ■ Triffst du dich abends manchmal mit deinen Freunden?
- ▲ Nein, ich treffe mich sehr oft abends mit meinen Freunden.

Variante:

Wählen Sie fünf Verben aus a und schreiben Sie Sätze über sich. Mischen Sie die Texte und verteilen Sie sie neu.
Lesen Sie jetzt den Text im Kurs vor. Die anderen raten: Wer hat den Text geschrieben?

Ess- und Kochgewohnheiten: Was kochen Sie, wenn ...?

Machen Sie Notizen und befragen Sie Ihre beiden Partner. Haben Sie etwas gemeinsam? Erzählen Sie im Kurs.

■ Was kochst/machst du, wenn es gesund sein soll?
▲ Wenn es gesund sein soll, dann mache ich einen Obstsalat.

	Ich	Meine Partnerin / Mein Partner A	Meine Partnerin / Mein Partner B
Es soll gesund sein.			
Es soll schnell gehen.			
Sie müssen sparen. Es soll preiswert sein.			
Sie möchten vegetarisch essen.			
Sie möchten scharf essen.			
Sie möchten ein Menü kochen.			
Sie machen eine Diät.			
Sie kochen für Kinder.			
Sie machen etwas für ein Party-Buffet.			

Auflösung zu Seite 88

① aus Dosenclips, ②, ⑤ aus Papier, ③ aus Schallplatten, ④ aus Plastiktüten, ⑥ aus Autoreifen

WORTLISTE

Die alphabetische Wortliste enthält die neuen Wörter dieses Buches mit Angabe der Seiten, auf denen sie das erste Mal vorkommen. Wörter, die für die Prüfungen der Niveaustufen A1, A2 und B1 nicht verlangt werden, sind kursiv gedruckt. Bei allen Wörtern ist der Wortakzent gekennzeichnet: Ein Punkt (a) heißt kurzer Vokal, ein Unterstrich (a) heißt langer Vokal. Nomen mit der Angabe (Sg.) verwendet man (meist) nur im Singular. Nomen mit der Angabe (Pl.) verwendet man (meist) nur im Plural. Trennbare Verben sind durch einen Punkt nach der Vorsilbe gekennzeichnet (ab·fahren).

50er-Jahre 21

ab: ab und zu 69

ab·geben 30

ab·lehnen 33

ab·nehmen 41

der Absatz, ¨-e 50

die Abstimmung, -en 12

abstrakt 30

die Adjektivdeklination, -en 25

das Adverb, -ien 41

die Aktentasche, -en 62

aktiv 19

der Alkohol (Sg.) 66

die Allee, -n 39

der Alltag (Sg.) 55

also: also gut 31

das Altmaterial (Sg.) 63

das Altpapier (Sg.) 62

anders: anders gehen 18

anderswo 37

an·dünsten 69

der Anfänger, - /die Anfängerin, -nen 18

angestellt (sein) 89

ansonsten 66

anstrengend 55

die Anstrengung, -en 18

die Aqua-Fitness (Sg.) 42

der Arbeiter, - / die Arbeiterin, -nen 50

die Arbeitsbedingungen (Pl.) 51

das Arbeitsleben (Sg.) 49

der Arbeitsort, -e 52

der Arbeitsplatz, ¨-e 50

die Arbeitsstelle, -n 62

der Arbeitsvorgang, ¨-e 50

die Arbeitszeit, -en 49

ärgern (sich) 30

die Ars Electronica (Sg.) 34

der Audi,-s (Auto) 49

auf·bauen 53

auf·machen 12

der Augenblick, -e: Einen Augenblick bitte 59

der Aus-alt-mach-neu-Markt, ¨-e 63

die Ausdauer (Sg.) 53

aus·drücken 17

aus·machen: die Hälfte ausmachen 66

aus·probieren 53

aus·ruhen (sich) 42

die Ausrüstung, -en 18

aus·schließen 37

der Ausschnitt, -e 10

außerdem 18

aus·spülen 55

aus·suchen 67

die Auswahl (Sg.) 71

aus·wandern 21

die Autoindustrie (Sg.) 50

der Autoreifen, - 88

der Bäcker, - / die Bäckerin, -nen 9

das Badminton (Sg.) 42

die Banane, -n 26

barock 39

(das) Basketball (Sg.) 42

die Bauch-Beine-Po-Gymnastik (Sg.) 53

die Bauchgegend (Sg.) 46

der Bauernhof, ¨-e 18

das Bauteil, -e 50

beeindruckend 31

das Beet, -e 37

der Beginn (Sg.) 35

der Begriff, -e 33

beide: die beiden 38

beraten 18

die Beratung,-en 19

der Bergkräutertee, -s 18

der Bericht, -e 49

berichten 29

das Berufe-Raten (Sg.) 52

die Berufserfahrung (Sg.) 51

berühmt 30

beschäftigt 53

besitzen 21

das Besteck, -e 58

bestehen (aus) 65

der Besuch, -e 31

der Betrieb, -e 51

das Betriebsklima (Sg.) 62

bewerten 17

die Bewertung, -en 71

bezahlbar 55

der Bilderrahmen, - 88

das Bio-Gemüse (Sg.) 37

die Bio-Qualität (Sg.) 37

die Birne, -n 26

bis: bis hin 15

blöd: blöd finden 13

das Blumenbeet, -e 39

das Blut (Sg.) 46

bluten 46

BMW (Bayerische Motorenwerke) 21

der Bodensee 18

die Bohne, -n 27

das Bonbon, -s 27

das Börek, -s 21

braten 67

die Bratensoße, -n 69

die Bratkartoffeln (Pl.) 90

das Brauhaus, ¨-er 31

die Brezel, -n 9

das Briefpapier (Sg.) 62

der Briefumschlag, ¨-e 62

der Brotkorb, ¨-e 28

der Brunnen, - 38

der Buchdrucker, - / die Buchdruckerin, -nen 62

buchen 17

die Bühne, -n 34

das Bundesministerium, -en 66

der Bürgermeister, - / die Bürgermeisterin, -nen 62

die Bürogemeinschaft, -en 51

das Bussi, -s 30

die Buttermilch (Sg.) 26

der Campingplatz, ¨-e 19

charmant 71

der Charme (Sg.) 39

circa 42

die Cola,- s 27

die Computeranimation, -en 34

der Cousin, -s 10

dafür: dafür sein 31

dagegen: dagegen sein 31

daher 84

damals 63

damit 37

der Dank (Sg.): zum Dank 30

der Darsteller, - / die Darstellerin, -nen 34

dass (Konjunktion) 57

dauernd 46

dazu·gießen 69

das Deckenlicht, -er 15

das Denkmal, ¨-er 40

die Designermöbel (Pl.) 62

der Designmöbelhändler, - 63

die Deutschstunde, -n 91

die Diät, -en 92

das Diätgetränk, -e 87

das Diätprodukt, -e 87

dienstags 42

digital 34

direkt 15

die Diskussionsrunde, -n 34

diskutieren 13

der Dokumentarfilm, -e 49

die Dom-Führung, -en 29

die Domizil-Redaktion, -en 15

donnerstags 42

doppelt 28

das Dorf, ¨-er 18

die Dose, -n 25

der Dosenclip, -s 88

der/das Download, -s 69

der Drink, -s 53

drinnen 89

drüben 40

das Druckgefühl (Sg.) 46

duften 55

dumm (sein) 56

dunkel: dunkel machen 14

durcheinander (sein) 70

durchschnittlich 66

die Durchschnittsfamilie, -n 65

effektiv 50

egal 69

einigen (sich) 33

der Einkaufsbummel (Sg.) 18

das Einkaufsgespräch, -e 27

die Einkaufsliste, -n 69

der Einkaufszettel, - 25

das Einrad, ¨-er 10

ein·richten 13

der Einrichtungstipp, -s 13

die Einsparung, -en 50

die Eintrittskarte, -n 34

einverstanden 29

ein·weichen 55
das Eishockey 43
der Eistee (Sg.) 25
emigrieren 23
empfehlen 66
empfehlenswert 71
enden 19
das Engagement, -s 62
entlang 18
entspannt 71
die Entspannung (Sg.) 18
die Erdbeere, -n 38
das Ereignis, -se 9
erfahren 69
die Erfahrung, -en 18
erfolgreich 49
die Ergonomie (Sg.) 50
erhitzen 69
die Erholung (Sg.) 17
erkältet (sein) 88
die Ermäßigung, -en 34
die Ernährung (Sg.) 42
die Ernährungsumstellung (Sg.) 69
ernten 37
erraten 21
der/die Erwachsene, -n 62
der Espresso, -s od. -ssi 28
die Ess- und Kochgewohnheiten (Pl.) 67
die Essgewohnheiten (Pl.) 26
der Essig, -e 58
eventuell 69
der Experte, -n / die Expertin, -nen 34
der Export, -e 50
das Extra, -s 28
der Extra-Service (Sg.) 18
die Facebook-Nachricht, -en 30
das Fahrzeug, -e 50
die Fahrzeugklasse (Sg.) 50
die Familien- und Kindheitserinnerungen (Pl.) 11
die Familiengeschichte (Sg.) 9
faszinieren 34
das Fernsehgerät, -e 14
fest: feste Arbeitszeiten 89
die Festanstellung, -en 51
festlich 69
das Fett, -e 26
fettarm 26
das Feuer (Sg.) 33
das Filmmuseum, -een 31
das Filmteam, -s 50
die Firmengeschichte (Sg.) 50
die Firmengründung, -en 62
das Firmenjubiläum, -äen 62
der Fitness- und Ernährungsplan, ¨-e 41
die Fitness (Sg.) 56
der Fitnessplan, ¨-e 42
das Fitnesstraining, -s 42
das Fleisch (Sg.) 42
flexibel 43
das Fließband, ¨-er 50
der Flyer, - 53
die Folge, -n 88
der/die Fortgeschrittene, -n 18
der Forumstext, -e 87
das Frauen-Fitnessstudio, -s 53
der Frischkäse (Sg.) 26
froh (sein) 62
der Frosch, ¨-e 18
der Früchtetee, -s 66
das Frühstücks-Café, -s 28
die Frühstückskarte, -n 28
fühlen (sich) 63
die Führung, -en 30
fünf 87
das Fußballbild, -er 10
der Fußballprofi, -s 54
die Gabel, -n 58
das Gartencafé, -s 37
die Gartenpizza, -s, -pizzen 37
der Gartenzwerg, -e 24
die Gartenzwergfrau, -en 24
die Gartenzwergin, -nen 24
der Gartenzwergmann, ¨-er 24
gärtnern 37
das Gästebuch, ¨-er 64
das Gebäude, - 38
der Gebrauchsgegenstand, ¨-e 61
die Gegend, -en 31
der Gegensatz, ¨-e 69
der Gehalt 69
gehen: durch den Kopf gehen 62
das Gelände, - 37
die Gemeinsamkeit, -en 75
das Gemüse, - 42
die Gemüsebrühe (Sg.) 69
der Gemüsegarten, ¨- 37
die Gemüsesuppe, -n 42
das Genie, -s 72
der Genuss, ¨-e 69
das Gerät, -e 53
die Geschäftsfrau, -en 53
die Geschäftsidee, -n 20
der Geschäftspartner, -/ die Geschäftspartnerin, -nen 61
das Geschenkpapier, -e 62
die Geschichte, -n 9
geschlossen 30
der Geschmack, ¨-er 69
die Geschmackssache (Sg.) 14
gesundheitlich 50
die Gesundheitsbar, -s 53
die Getränkeverpackung, -en 62
das Getreide, - 67
das Getreideprodukt, -e 66
das Gewicht, -e 25
das Gewichtheben (Sg.) 42
gleichzeitig 69
der Glücksbringer, - 22
das Golf 43
das Gramm, -e (g) 26
die Grippe, -n 88
großartig 30
der Großstadt-Fan, -s 19
Grüezi mitenand (CH) 17
das Grundstück, -e 37
der Grundstückspreis, -e 37
die Gymnastik (Sg.) 43
die Hähnchenbrust, ¨-e 90
die Hälfte, -n 66
die Halle, -n 51
halten (von) 35
der Hamburger, - 58
(das) Handball 42
hängen 14
häufig: am häufigsten 66
der Hauptsatz, ¨-e 48
die Hauptspeise, -n 72
die Hausarbeit (Sg.) 55
der Hausarzt, ¨-e / die Hausärztin, -nen 46
die Haushaltshilfe, -n 51
die Haut, ¨-e 55
der Hautarzt, ¨-e / die Hautärztin, -nen 21
das Heft, -e 14
das Heimatland, ¨-er 23
die Heirat, -en 38
hell 14
hellgrün 18
her: her sein 34
heraus·finden 66
herbstlich 69
der Hering, -e 90
her·stellen 62
das Herz, -en 45
der Herzinfarkt, -e 45
die Herzkrankheit, -en 45
der Herzog, ¨-e 34
das Highlight, -s 71
hilfsbereit 71
hin·fallen 48
hinunter 18
das Hip-Hop-Fest, -e 34
historisch 34
die Hitze (Sg.) 69
hochwertig 71
die Hochzeitsfeier, -n 34
hoffen 87
die Hoffnung, -en 45
der Höhepunkt, -e 30
die Hüfte, -n 53
der Hügel, - 18
die Hühnchenbrust, ¨-e 42
hungrig 25
ideal 18
der Import, -e 50
in: in sein 19
indirekt 15
der Industriemeister, -/ die Industriemeisterin, -nen 50
inner- 43
das Inntal 18
die Insel, -n 84
insgesamt 40
das Interesse, -n 31
interessieren 35
der/die Interessierte, -n 34
der Internet-Eintrag, ¨-e 29
die Internetplattform, -en 63
der Irrgarten, ¨-n 39
die IT-Abteilung, -en 51
das Jahrzehnt, -e 50
das Jobangebot, -e 22
joggen 41
das Jubiläum, -en 61
das Judo 42
der/die Jugendliche, -n 11
der Kaiser, - / die Kaiserin, -nen 39
der Kaiserdom (Sg.) 31
der/das Kajak, -s 19
die Kamera, -s 31
die Kanne, -n 58
die Karotte, -n 69
der Kartoffelacker, - 37
das Kartoffelpüree, -s 58
die Kartoffelsuppe, -n 42
die Katze, -n 18
der Kaufmann, Kaufleute 23
kaum 66
die Kieler Woche 34
das Kilo(-gramm), -s (kg) 25
die Kinderbetreuung (Sg.) 53
das Kissen, - 14
die Kiste, -n 37
das Kite-Surfen 18
klappen: es klappt gut 9
klar (sein) 67

der Sachtext, -e 65
der Sack, ⸚e 37
saisonal 69
die Salami, -s 25
das Salzhaff, -e oder -s 18
der Samstagabend, -e 31
satt 25
der Satzanfang, ⸚e 88
das Satzende, -n 46
der Satzteil, -e 88
schaden 69
der Schafskäse (Sg.) 90
schälen 69
die Schallplatte, -n 88
das Schanzenviertel 71
scharf 92
das Schauspielhaus, ⸚er 84
die Scheibe, -n 28
die Scherbe, -n 22
schick 31
schief: schiefgehen 70
die Schifffahrt,-en 30
der Schlaf (Sg.) 42
das Schlemmen 69
die Schlittenfahrt, -en 20
der Schluss: zum Schluss 12
der Schlüsselbund 22
der Schlüsseldienst, -e 22
schrecklich 62
der Schreibtisch, -e 75
der Schriftsteller, - / die Schriftstellerin, -nen 23
der Schritt,-e: Schritt für Schritt 69
die Schuhsohle, -n 88
der Schulbuch-Verlag, -e 63
der Schweinehund (Sg.) 43
die Schweizer Alpen (Pl.) 18
der Schwiegersohn, ⸚e 10
der Schwiegervater, ⸚ 10
der Second-Hand-Shop 63
die Segel- und Surf-Schule, -n 18
das Segelschiff, -e 34
das Segelsport-Event, -s 34
sehenswert 30
die Sekunde, -n 74
selb- 42
der Senf (Sg.) 25
der Senior, -en / die Seniorin, -nen 53
die Serviette, -n 59
sicher 31
die Single-Küche, -n 69
sinken 51
sinnvoll 62
das Sixpack, -s 72
das Skateboard, -s 11
der Skihase, -n 20
der Skikurs, -e 20
der Smoothie, -s 69
das Soda (Sg.) 55
die Sofa-Landschaft, -en 15
der Sonderwunsch, ⸚e 70
sonst 25
die Sorte, -n 69
sozial 62
sparen 51
der Spargelsalat, -e 71
später 42
der Speck (Sg.) 53
der Spiegel, - 76
die Spielanweisung, -en 60
der Spinat (Sg.) 37
die Spirituose, -n 66
die Sportart, -en 41
das Sportprofil, -e 43
der Sporttyp, -en 43
die Sprechstunde, -n 46
der Spreewald 19
die Stadtbesichtigung, -en 29
der Stadtbummel (Sg.) 19
die Stadtrundfahrt, -en 40
der Stadtrundgang, ⸚e 38
der Star, -s 34
der Start, -s 60
das Statement, -s 67
statt·finden 34
die Statue, -n 39
das Steak, -s 90
die Stelle: an deiner Stelle 43
der Stern, -e 71
das Stichwort, ⸚er 19
stilvoll 71
stimmen: Stimmt so 59
die Stirn (Sg.) 52
der Stoff, -e 88
stolz (auf) 21
Stopp 18
stören 72
der Strand, ⸚e 18
streiten 9
das Studium (Sg.) 9
das Superangebot, -e 19
der Supermarkt, ⸚e 26
die Surf-Mode 18
der/die Süße, -n 30
die Süßigkeiten (Pl.) 11
das Symptom, -e 46
Tach (=Guten Tag) 17
der Tag: Tag der offenen Tür 53
das Team, -s 89
die Technik, -en 34
die Technologie, -n 50
der Teeladen, ⸚ 81
der Teig, -e 9
die Teilzeit (Sg.) 89
der Teufelskreis (Sg.) 37
das Theaterfestival, -s 33
das Theaterstück, -e 35
der Thunfisch, -e 25
tiefgefroren 37
die Tierart, -en 39
der Tiergarten, ⸚ 39
die Tischdekoration (Sg.) 69
das Tischtennis 43
das Tomatenhaus, ⸚er 37
der Ton, ⸚e 38
topmodern 62
der Top-Preis, -e 18
die Tour, -en 18
der Tourismus (Sg.) 29
touristisch 17
der Trainer, - / die Trainerin, -nen 42
trainieren 42
das Training, -s 42
der Trainingsplan, ⸚e 53
transportieren 37
der Traummann, ⸚er 72
treffen (sich) 91
der Treffpunkt, -e 35
treiben: Sport treiben 53
der Trend: im Trend liegen 19
trennen: getrennt zahlen 59
das Trinkgeld (Sg.) 31
trocknen 55
über (temporal) 33
übergeben 10
das Übergewicht (Sg.) 55
überhaupt: überhaupt nicht 17
übernachten 10
überraschen 65
die Überraschung, -en 65
das Ufer, - 18
der Umweltschutz (Sg.) 62
der Umzug, ⸚e 13
das UNESCO-Weltkulturerbe (Sg.) 39
der Unfall, ⸚e 45
ungemütlich 14
ungewiss 37
unter: unter Jugendlichen 66
unterhalten (sich) 91
die Unterkunft, ⸚e 31
das Unternehmen, - 63
der Unternehmer, - / die Unternehmerin, -nen 62
unter·rühren 69
untersuchen 46
die Untersuchung, -en 46
der Untertan, -en 23
die Unterwelt, -en 24
unverbindlich 53
urban 37
das Urlaubs-Souvenir, -s 14
der Urlaubstag, -e 51
die Vanillesoße, -n 90
väterlicherseits 21
vegetarisch 92
die Velo-Tour, -en 18
der Velovermieter, - 18
der Veranstaltungskalender, - 33
der Verband, ⸚e 47
verbessern 50
verbinden 47
verbrauchen 65
verbrennen 70
verbringen 21
der Verein, -e 43
der Verkauf, ⸚e 51
verletzen 46
die Verletzung, -en 46
die Verpackung, -en 25
verrückt (sein) 11
versalzen (sein) 59
verschütten 70
versorgen 69
verstecken 14
verstehen (sich) 91
verteilen 82
vertrauen 46
Verzeihen Sie 57
das Video, -s 34
vielseitig 62
der Vitamin-A-Gehalt (Sg.) 69
der Vogel, ⸚ 18
voll (sein) 56
(das) Volleyball 42
völlig 46
die Vollkornnudel, -n 68
die Vollmilch (Sg.) 26
von: von Hand 55
vorbei·schauen 53
der Vorhang, ⸚e 75
vorletzt- 34
die Vorliebe, -n 17
vormittags 42
vorn (sein) 49
vor·nehmen (sich etwas) 44

Cover: © Getty Images/Andreas Kindler
U2: © Digital Wisdom
Seite 8: © Hueber Verlag/Kiermeir
Seite 10: © Nikola Keil, München
Seite 14: © Arlet Ulfers, Inning
Seite 17: A © PantherMedia/Rico Ködder; B © Thinkstock/iStockphoto; C © Thinkstock/iStockphoto; D © PantherMedia/Andreas Weber
Seite 18: Bildlexikon: Wald, Pflanze, Vogel, Frosch © Thinkstock/iStockphoto; Wiese © Thinkstock/Comstock; Dorf © iStockphoto/Sergge; Katze © Thinkstock/Ingram Publishing; Hund © Thinkstock/zoonar; Ü3: 1 © fotolia/RCsolutions; 2 © www.radweg-reisen.com; 3 © Thinkstock/iStockphoto; 4 © fotolia/Martin Schlecht
Seite 19: Bildlexikon: Meer, Landschaft, Hügel © Thinkstock/iStockphoto; Strand © Thinkstock/Ablestock.com; See, Berg © Thinkstock/Stockbyte; Fluss © fotolia/Undine Aust; Ufer © PantherMedia.net/Brigitte Götz
Seite 21: oben von links © iStockphoto/ozgurdonmaz; © Thinkstock/iStockphoto; © iStockphoto/delihayat; © iStockphoto/ozgurdonmaz; Mitte von links © iStockphoto/Paco Romero; © Thinkstock/Digital Vision; © Thinkstock/Comstock; © Thinkstock/iStockphoto; © Thinkstock/Getty Images/Jupiterimages; unten von links © fotolia/dacasdo; © Thinkstock/iStockphoto; © Thinkstock/Comstock; © fotolia/Anna Omelchenko; © Thinkstock/Photodisc/Barbara Penoyar
Seite 22: Filmstationen Ü1: watch and tell – filmproduktion gmbh; Ü2: Spiegel © iStockphoto/jenjen 42; Glas © fotolia/Mari Z.
Seite 23: © Süddeutsche Zeitung Photo/SZ Photo; © dpa Picture-Alliance/STR
Seite 26: Bildlexikon: Thunfisch, Salami, Pfirsich, Eistee, Paprika, Knoblauch, Banane, Birne © Thinkstock/iStockphoto
Seite 27: Bildlexikon: Saft, Marmelade © Thinkstock/Stockbyte; Bohne, Mehl, Bonbon © Thinkstock/iStockphoto; Quark © iStockphoto/katyspichal; Cola © Thinkstock/Hemera
Seite 29: unten © dpa Picture-Alliance/Oliver Berg
Seite 31: oben von links © Thinkstock/iStockphoto; © fotolia/anyaivanova; © iStockphoto/FlashSG; unten von links © www.koelntourismus.de; © Thinkstock/iStockphoto
Seite 33: © ddp images/dapd
Seite 34: links von oben © fotolia/Fotowerner; © dpa Picture-Alliance/Ennio Leanza; © fotolia/Eléonore H; © PantherMedia/Detlef Dittmer; rechts von oben © Thinkstock/Stockbyte; © Ars Electronica Linz GmbH; © Thinkstock/Digital Vision/John Rowley; © Die Förderer e.V. / O. Haßler
Seite 35: von oben © Thinkstock/Creatas/Jupiterimages; © Thinkstock/Brand X Pictures/Jupiterimages
Seite 36: © Die Förderer e.V./O. Haßler
Seite 37: © Marco Clausen/Prinzessinnengarten (3)
Seite 38: Filmstationen: watch and tell – filmproduktion gmbh
Seite 39: 1, 3 © Thinkstock/iStockphoto; 2 © fotolia/Gerd Lutz; © Thinkstock/iStockphoto; Mitte © Glow Images/SuperStock; unten © Thinkstock/iStockphoto
Seite 40: © fotolia/mirkLe
Seite 42: Bildlexikon: Basketball © Thinkstock/Comstock/Jupiterimages; Volleyball, Fitnesstraining, Badminton © Thinkstock/Hemera; Handball © PantherMedia/Carme Balcells; Gewichtheben © Thinkstock/iStockphoto; Judo © PantherMedia/auremar
Seite 43: Bildlexikon: Yoga © Thinkstock/Stockbyte/George Doyle; Golf © Thinkstock/Stockbyte; Gymnastik © PantherMedia/vgstudio; Tischtennis, Aqua-Fitness, Rudern © Thinkstock/iStockphoto; Eishockey © Thinkstock/Hemera; Walken © PantherMedia/Bernd Leitner
Seite 46: © Thinkstock/iStockphoto
Seite 50: links © Audi AG
Seite 53: von links: © Thinkstock/Hemera; © Thinkstock/Digital Vision; © Thinkstock/Stockbyte; © Thinkstock/Hemera
Seite 54: Filmstationen: watch and tell – filmproduktion gmbh
Seite 55: Wäscherinnen © Süddeutsche Zeitung Photo/Scherl; Wäsche © Thinkstock/Polka Dot/Jupiterimages; Pumpe © Thinkstock/iStockphoto; Waschmaschine © fotolia/Sashkin
Seite 58: Bildlexikon: Geschirr, Tasse, Besteck, Gabel, Löffel © Thinkstock/Hemera; Glas, Kanne © Thinkstock/iStockphoto; Teller © Thinkstock/Stockbyte
Seite 59: Bildlexikon von links Messer © Thinkstock/Hemera; Salz, Pfeffer © Thinkstock/iStockphoto; Essig, Öl © PantherMedia/claire norman; Zucker © fotolia/PRILL Mediendesign; Serviette © Thinkstock/iStockphoto
Seite 62: Bildlexikon: Briefumschlag, Briefpapier © Thinkstock/iStockphoto; Postkarte © Thinkstock/Hemera; Blumenmotiv © iStockphoto/lorenzo104; Notizblock © PantherMedia/wu kailiang; Geschenkpapier © Hueber Verlag/Kiermeir
Seite 63: Bildlexikon: Geldbörse, Aktentasche © GEPA – The Fair Trade Company; Handtasche © Christiane Frank, 98631 Römhild/OT Milz – www.nadelspitzen.de; Rucksack © www.pigschick.de

QUELLENVERZEICHNIS

Seite 66: Bildlexikon: Obst © fotolia/Andrey Armyagov; Gemüse © Thinkstock/iStockphoto; Wurst © PantherMedia/ Birgit Reitz-Hofmann; Fleisch © fotolia/Jacek Chabraszewski
Seite 67: Bildlexikon: Fisch © fotolia/Olga Patrina; Getreide, Limonade © Thinkstock/iStockphoto; Mineralwasser © Thinkstock/Zoonar
Seite 68: Getreide, Saft © Thinkstock/iStockphoto; Obst © fotolia/Andrey Armyagov
Seite 69: links © PantherMedia/Christian Schwier; rechts von oben © Thinkstock/iStockphoto (2); © fotolia/cook-and-style; © iStockphoto/beyhanyazar; © fotolia/amlet
Seite 70: Filmstationen: watch and tell – filmproduktion gmbh (3)
Seite 71: © Thinkstock/iStockphoto
Seite 73: Würfel © iStockphoto/arakonyunus; Spiel in Spielrichtung vom Start ins Ziel © PantherMedia/Ruth Black; © iStockphoto/Eldad Carin; © PantherMedia/Dietmar Stübing; © iStockphoto/milosluz; © fotolia/Alexandra Karamyshev; © iStockphoto/DesignSensation; © iStockphoto/karandaev; © iStockphoto/MarcusPhoto1; © fotolia/ Carmen Steiner; © PantherMedia/Reiner Wuerz; © iStockphoto/zentilia; © fotolia/N-Media-Images; © PantherMedia/ Andreas Jung; © iStockphoto/silentwolf; © iStockphoto/fjdelvalle; © fotolia/francois clappe; © Pitopia/Walter Korine; © iStockphoto/pathompong24; © Hueber Verlag; © iStockphoto/raclro; © Thinkstock/iStockphoto; © iStockphoto/ peepo; Handy © iStockphoto/milosluz; Kreditkarte © iStockphoto/MarcusPhoto1
Seite 75: unten © Hueber Verlag/Kiermeir
Seite 76: Möbel von links nach rechts unten © iStockphoto/tiler84; © iStockphoto; © iStockphoto/twohumans; © iStockphoto/jallfree; © iStockphoto/catnap72; © Thinkstock/iStockphoto (3)
Seite 78: Möbel von links nach rechts unten © iStockphoto/tiler84; © iStockphoto; © iStockphoto/twohumans; © iStockphoto/jallfree; © Thinkstock/iStockphoto (3) © iStockphoto/catnap72
Seite 84: © Thinkstock/Lifesize/Siri Stafford
Seite 86: © Thinkstock/Lifesize/Siri Stafford
Seite 87: von oben © Thinkstock/Jupiterimages/Brand X Pictures; © Thinkstock/Jupiterimages; © Thinkstock/Comstock
Seite 88: Würfel © iStockphoto/arakonyunus; 1 © www.escamastudio.com; 2 © ProNa GmbH; 3 © erfinderladen; 4 © www.ryanfrank.net; 5 © Handgeschöpfte Schmuckpapiere Claudia Diehl, Foto: Andrea Heinze; 6 © www.von-krausse.de
Seite 90: links von oben © PantherMedia/Bernd Kröger; © Thinkstock/Hemera; © PantherMedia/Elke Elizabeth Rampfl-Platte; © Thinkstock/iStockphoto; © fotolia/ExQuisine; © Thinkstock/iStockphoto; © fotolia/Carmen Steiner; rechts von oben © Thinkstock/iStockphoto; © Thinkstock/Hemera; © Thinkstock/iStockphoto (2)

Alle übrigen Fotos: Florian Bachmeier, Schliersee
Zeichnungen: Michael Mantel, Barum
Bildredaktion: Iciar Caso, Hueber Verlag, München